発刊の想い。

これからの世代のみんなが、
日本中と交流をするためには、
「デザインの目線」がとても
重要になっていくと考えます。
それは、長く続いていくであろう
本質を持ったものを見極め、
わかりやすく、楽しく工夫を感じる創意です。
人口の多い都市が発信する
流行も含めたものではなく、
土着的でも、その中に秘められた「個性」——
それらを手がかりとして、
具体的にその土地へ行くための
「デザインの目線」を持った観光ガイドが今、
必要と考え、47都道府県を一冊一冊、
同等に同じ項目で取材・編集し、
各号同程度のページ数で発刊していきます。

d design travel
発行人　ナガオカケンメイ

problems, we will point out the problems while recommending it.
- The businesses we recommend will not have editorial influence. Their only role in the publications will be fact checking.
- We will only pick up things deemed enduring from the "long life design" perspective.
- We will not enhance photographs by using special lenses. We will capture things as they are.
- We will maintain a relationship with the places and people we pick up after the publication of the guidebook in which they are featured.

Our selection criteria:
- The business or product is uniquely local.
- The business or product communicates an important local message.
- The business or product is operated or produced by local people.
- The product or services are reasonably priced.
- The business or product is innovatively designed.

Kenmei Nagaoka
Founder, d design travel

編集の考え方。

・必ず自費でまず利用すること。実際に泊まり、食事し、買って、確かめること。
・感動しないものは取り上げないこと。本音で、自分の言葉で書くこと。
・問題があっても、素晴らしければ、問題を指摘しながら薦めること。
・取材相手の原稿チェックは、事実確認だけにとどめること。
・ロングライフデザインの視点で、長く続くものだけを取り上げること。
・写真撮影は特殊レンズを使って誇張しない。ありのままを撮ること。
・取り上げた場所や人とは、発刊後も継続的に交流を持つこと。

取材対象選定の考え方。

・その土地らしいこと。
・その土地の大切なメッセージを伝えていること。
・その土地の人がやっていること。
・価格が手頃であること。
・デザインの工夫があること。

SIGHTS
その土地を知る
To know the region

CAFES
その土地でお茶をする
お酒を飲む
To have tea
To have a drink

RESTAURANTS
その土地で食事する
To eat

HOTELS
その土地に泊まる
To stay

SHOPS
その土地らしい買物
To buy regional goods

PEOPLE
その土地のキーマン
To meet key persons

A Few Thoughts Regarding the Publication of This Series

I believe that a "design perspective" will become extremely important for future generations, and indeed people of all generations, to interact with all areas of Japan. By "design perspective," I mean an imagination, which discerns what has substance and will endure, and allows users to easily understand and enjoy innovations. I feel that now, more than ever, a new kind of guidebook with a "design perspective" is needed. Therefore, we will publish a guide to each of Japan's 47 prefectures. The guidebooks will be composed, researched, and edited identically and be similar in volume.

Our editorial concept:

- Any business or product we recommend will first have been purchased or used at the researchers' own expense. That is to say, the writers have all actually spent the night in at the inns, eaten at the restaurants, and purchased the products they recommend.
- We will not recommend something unless it moves us. The recommendations will be written sincerely and in our own words.
- If something or some service is wonderful, but not without

HOUSEHOLD
SEASIDE INN TO FIND PLEASURE IN COOKING AND LIVING LOCAL TOWN
勝手口から始まる旅　HOUSEHOLD

＊1 d design travel 調べ（2021年7月時点） ＊2 国土地理院ホームページより
＊3 総務省統計局ホームページより（2021年7月時点）
＊4 社団法人 日本観光協会（編）「数字でみる観光」より（2019年度版） ※（ ）内の数字は全国平均値
＊1 Figures compiled by d design travel. (Data as of July 2021) ＊2 Extracts from the website of Geographical Survey Institute, Ministry of Land, Infrastructure, Transport and Tourism. ＊3 According to the website of the Statistics Bureau, Ministry of Internal Affairs and Communications. (Data as of July 2021)
＊4 From Suuji de miru kanko, by Japan Travel and Tourism Association (2019 Edition)
※ The value between the parentheses is the national average.

富山の数字
Numbers of TOYAMA

美術館などの数 *1 (122)
Museums
Number of institutions registered under the Toyama Prefecture Association of Museums

112

スターバックスコーヒーの数 *1 (35)
Starbucks Coffee Stores

9

歴代Gマーク受賞数 *1 (974)
Winners of the Good Design Award

261

経済産業大臣指定伝統的工芸品 *1 (5)
Traditional crafts designated by the Minister of Economy, Trade and Industry

高岡銅器、井波彫刻、
高岡漆器、越中和紙、
庄川挽物木地、越中福岡の菅笠
Takaoka copperware, Inami sculpture, Takaoka lacquerware, Etchu washi paper, Shogawa woodcraft, Etchu-fukuoka woven hats

6

JAPANブランド育成支援事業に採択されたプロジェクト *1 (14)
Projects selected under the JAPAN BRAND program

11

日本建築家協会 富山県の登録会員数 *1 (72)
Registered members of the Japan Institute of Architects

46

日本グラフィックデザイナー協会 富山県登録会員数 *1 (64)
Registered members of the Japan Graphic Designers Association Inc.

23

県庁所在地
Capital

富山市
Toyama City

市町村の数 *1 (36)
Municipalities

15

人口 *3 (2,669,574)
Population
人

1,032,108

面積 *2 (8,042)
Area
㎢

4,247

1年間観光者数 *4 (59,730,000)
Annual number of tourists
人

15,610,000

郷土料理
Local specialties

いとこ煮
バイ飯
あんばやし
べっこう
大門素麺

Itoko-ni (stewed bean and vegetable), ***Bai-meshi*** (rice with sea snails), ***Anbayashi*** (konjac with miso sauce), ***Bekko*** (sweet or savory jelly), ***Ookado somen noodles***

医薬品生産額 *1 (2,018)
Value of pharmaceuticals produced
億円

6,937

富山県発祥の企業
Famous company from Toyama

YKK（ファスナー・魚津市）、**トライグループ**（家庭教師・富山市）、**光岡自動車**（自動車・富山市）、**ゴールドウイン**（スポーツウエア・小矢部市）、**ショウワノート**（文房具・高岡市）、**池田模範堂**（ムヒ・上市町）、他
YKK (zippers, Uozu), **Trygroup** (tutoring, Toyama City), **Mitsuoka Motor** (automobiles, Toyama City), **Goldwin** (sportswear, Toyama City), **Showa Note** (stationery, Takaoka), **Ikeda Mohando** ("MUHI" anti-itch ointment, Kamiichi), etc.

THE OLDEST
COFFEE SHOP
IN TOYAMA
純喫茶
ツタヤ
Since 1923

富山号2
目次

CONTENTS

Bed and Craft

NATIONAL
TRIENNIAL
YAMA 2021
スタートリエンナーレ トヤマ2021
MBER 5, 2021
10日(土)-9月5日(日)
利賀芸術公園案内図
Guide To Toga Arts Park
利賀山房
Toga Sanbo
総合案内所
Information
新利賀山房
New Toga Sanbo
野外劇場
Toga Open Air Theatre
レストラン
Restaurant
百瀬川
Momose River
バス停
Bus Stop

Normal for TOYAMA
富山のふつう

d design travel 編集部が見つけた、
富山県の当たり前。

絵・辻井希文
文・神藤秀人

何でも昆布締めにする　富山の郷土料理「昆布締め」。北前船が立ち寄った際に伝わったという昆布を、富山の人は、魚の保存に利用。サス（カジキマグロ）やタイ、バイ貝や白エビなど、富山湾で取れた、そのまま食べても美味しい魚介類が、昆布の旨味を吸って、また違った味わいに。さらにこの「昆布締め文化」は、豚や鶏などのお肉にも広がっていて、山の方に行けば、なんと山菜も昆布締めにしている。普通は春にしか採れない山菜も、富山だといつでも食べられる。さらに、驚いたのが、豆腐の昆布締め。ここまで来ると、次に出会う昆布締めに、期待も高まります。

お守りは、団子　神社や寺院でいただくお守りには、その土地ならではの形や絵柄の刺繍が施されていることが多く、奈良県だと「鹿」、静岡県だと「富士山」、東京だと「歌舞伎」、などなど。とても個性的で、デザイン的視点で見ても面白いものである。さて、富山県は何かというと、「団子」である。しかも、形や刺繍どころか、団子そのものが、お守りである。その名も「涅槃団子」。お釈迦様の命日の法要である「涅槃会」で配られる団子で、仏舎利（お釈迦様の遺骨）に見立て、食べると1年間無病息災で過ごせるといわれ、また、お守りにして子どもに持たせる風習が残っている。毛糸で丁寧に編まれた小袋に入れて、ランドセルやバッグに付けているのだが、それがまた可愛い。

pictures, either—the dango themselves are the charms. Toyama also has a tradition of children carrying charms in little knit bags on their backpacks.

“Rice riots” at sports festivals
Sports festivals in Toyama often feature a group event called the “rice riot,” where two teams of girls try to grab a bag of rice (a tire is sometimes substituted). Apparently, it commemorates a real historical riot: during World War I, inflation caused rice prices to rise, prompting housewives from fishing villages in what is now Uozu to protest for cheaper rice.

***Oni*-shaped pylons**
As you enter Toyama aboard the Hokuriku Shinkansen train (opened in 2015), look out the window and you'll see a row of steel pylons with the faces of *oni* demons. Of course, these are actually electric pylons carrying power from the Kurobegawa hydro plant. But apparently there are a quite a few of them in the snowy mountain valleys of Hokuriku and Tohoku, although they're a rare sight nowadays.

運動会で『米騒動』　富山では、運動会の種目に『米騒動』という団体競技がある。女子が、二手に分かれて、米俵（ゴムタイヤで代用もあり）を奪い合うもの。調べると、これは、富山県に実際に起きた暴動がモチーフになっている。第一次世界大戦のインフレで、お米の値段が上がり、富山県の漁村（今の魚津市）の主婦らが、米の安売りを求める運動を起こしたのがそれ。今では運動会だけでなく、映画『大コメ騒動』（監督はじめ主演も富山出身だらけ）にもなり、暴動は、時を経て、まさかのエンターテインメント化。

鬼の形をしている鉄塔　２０１５年に開業した北陸新幹線に乗って、富山県に入ると、窓から見えるのは、鬼の顔の形をしている鉄塔。まるで並走しているかのように、連なって立っていて、背の大きい鬼や、小さい鬼など、地形によってさまざま。言うまでもなく、黒部川水系の発電所の電力を送っているのだが、どうやらこの鉄塔、「烏帽子型鉄塔」というらしく、北陸や東北などの雪が降る山間部に多いそうで、今ではほとんど見られなくなっている。丁寧に角の部分が、赤や黄色になっているのもあって、どこか親しみも湧く。

Normal for TOYAMA
Ordinary Sights in TOYAMA Found by d design travel

Text by Hideto Shindo
Illustration by Kifumi Tsujii

***Konbu* pressing**
Konbu (kelp) pressing is a part of Toyama's local cuisine. The inhabitants traditionally used konbu brought by trading ships to preserve their fish. The *konbu* adds a layer of delicious, savory flavor to seafood caught in Toyama Bay. Nowadays, *konbu* is used to preserve more than just fish. It's also used for meat like pork and chicken. You'll even find mountain vegetables pressed in *konbu*.

***Dango* charms**
The charms offered at shrines and temples often feature symbols unique to that place. They can be quite distinctive, and also interesting from a design perspective. So what's Toyama's unique design? *Dango* dumplings. And not as

BUS STOP
173
交通広場
to KANAZAWA

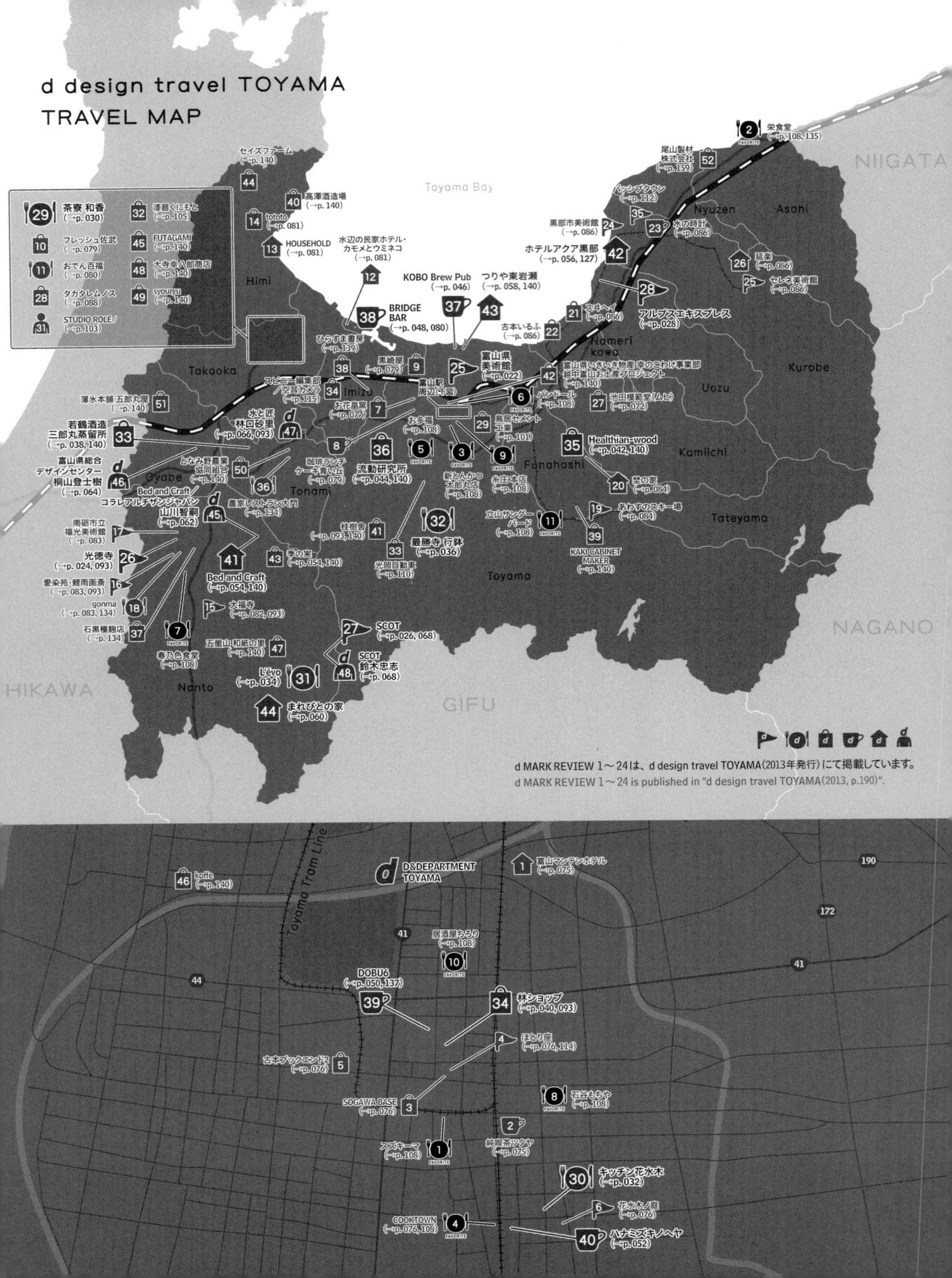

d design travel TOYAMA
TRAVEL MAP
Toyama Bay
NIIGATA
NAGANO
GIFU
HIKAWA
Himi
Takaoka
Imizu
Oyabe
Tonami
Nanto
Toyama
Funahashi
Kamiichi
Tateyama
Uozu
Kurobe
Namerikawa
Nyuzen
Asahi
茶寮 和香 (→p. 030)
フレッシュ佐武 (→p. 079)
おでん百福 (→p. 080)
タカタレムノス (→p. 088)
STUDIO ROLE / (→p. 103)
漆器くにもと (→p. 105)
FUTAGAMI (→p. 140)
大寺幸八郎商店 (→p. 140)
syouryu (→p. 140)
栄食堂 (→p. 108, 135)
尾山製材株式会社 (→p. 159)
セイズファーム (→p. 140)
高澤酒造場 (→p. 140)
tototo (→p. 081)
HOUSEHOLD (→p. 081)
水辺の民家ホテル・カモメとウミネコ (→p. 081)
KOBO Brew Pub (→p. 046)
つりや東岩瀬 (→p. 058, 140)
BRIDGE BAR (→p. 048, 080)
古本いるふ (→p. 086)
パッシブタウン (→p. 112)
黒部市美術館 (→p. 086)
水の時計 (→p. 086)
ホテルアクア黒部 (→p. 056, 127)
延楽 (→p. 086)
セレネ美術館 (→p. 086)
スキヘイ (→p. 086)
アルプスエキスプレス (→p. 028)
ひらすま書房 (→p. 139)
黒崎屋 (→p. 079)
富山県美術館 (→p. 022)
富山県いきいき物産 幸のこわけ事業部 越中富山お土産プロジェクト (→p. 140)
スピニー編集部／空耳カメラ (→p. 115)
富山駅周辺(下図)
お花島県 (→p. 077)
パンドール (→p. 108)
池田模範堂(ムヒ) (→p. 072)
薄氷本舗 五郎丸屋 (→p. 140)
若鶴酒造 三郎丸蒸留所 (→p. 038, 140)
水と匠 林口砂里 (→p. 066, 093)
お多福 (→p. 108)
鳥居セメント工業 (→p. 101)
Healthian-wood (→p. 042, 140)
富山県総合デザインセンター 桐山登士樹 (→p. 064)
となみ野農業協同組合 (→p. 140)
珈琲ランチ ケーキ青い丘 (→p. 079)
流動研究所 (→p. 044, 140)
新とんかつ 太郎丸店 (→p. 108)
糸庄 本店 (→p. 108)
埜の家 (→p. 084)
Bed and Craft コラレアルチザンジャパン 山川智嗣 (→p. 062)
農家レストラン大門 (→p. 134)
立山サンダーバード (→p. 108)
おわすのスキー場 (→p. 084)
南砺市立福光美術館 (→p. 083)
桂樹舎 (→p. 093, 140)
最勝寺 行鉢 (→p. 036)
KAKI CABINET MAKER (→p. 140)
光徳寺 (→p. 024, 093)
季の実 (→p. 054, 140)
光岡自動車 (→p. 110)
Bed and Craft (→p. 054, 140)
愛染苑・鯉雨画斎 (→p. 083, 093)
gonma (→p. 083, 134)
大福寺 (→p. 082, 093)
石黒種麹店 (→p. 134)
春乃色食堂 (→p. 108)
SCOT (→p. 026, 068)
五箇山 和紙の里 (→p. 140)
SCOT 鈴木忠志 (→p. 068)
L'évo (→p. 034)
まれびとの家 (→p. 060)
d MARK REVIEW 1～24は、d design travel TOYAMA(2013年発行)にて掲載しています。
d MARK REVIEW 1～24 is published in "d design travel TOYAMA(2013, p.190)".
Toyama Tram Line
D&DEPARTMENT TOYAMA
koffe (→p. 140)
富山マンテンホテル (→p. 075)
居酒屋ちろり (→p. 108)
DOBU6 (→p. 050, 137)
林ショップ (→p. 040, 093)
ほとり座 (→p. 076, 114)
古本ブックエンド2 (→p. 076)
石谷もちや (→p. 108)
SOGAWA BASE (→p. 076)
純喫茶ツタヤ (→p. 075)
スズキーマ (→p. 108)
キッチン花水木 (→p. 032)
花水木ノ庭 (→p. 076)
COOKTOWN (→p. 076, 108)
ハナミズキノヘヤ (→p. 052)
FAVORITE

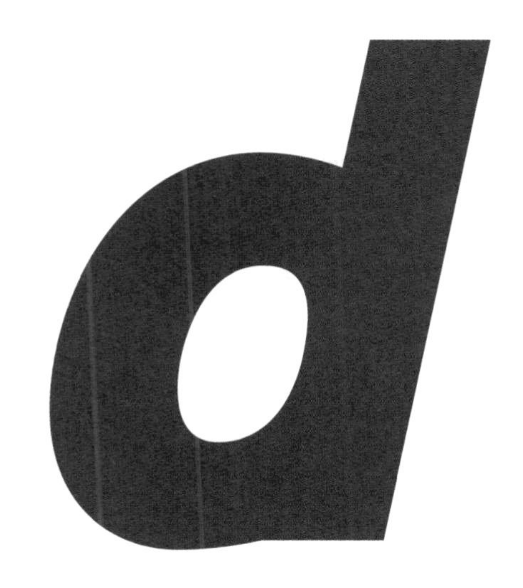

d MARK REVIEW TOYAMA

25

富山県美術館

富山県富山市木場町 3-20
Tel: 076-431-2711
9時30分〜18時（入館は17時30分まで）
水曜休（祝日の場合は翌日休）、年末年始休
tad-toyama.jp
富山駅から車で約5分

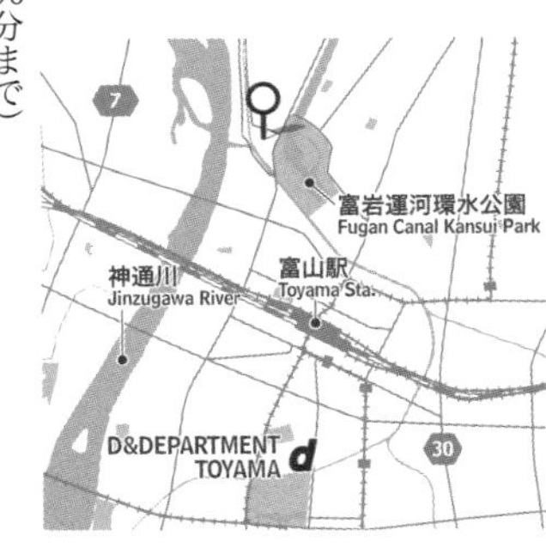

1.『世界ポスタートリエンナーレトヤマ』を開催。

前身の「富山県立近代美術館」から、2017年に移転オープン。
『富山もよう展』など、アートとデザインを繋ぐ唯一無二の展示。

2. 富岩運河環水公園や、立山連峰の美しい眺望。

内藤廣氏設計。アルミや里山杉など、富山の素材を使った
デザイン建築。ロゴマークは、永井一正氏、
ユニフォームは、三宅一生氏。

3. 美術館の枠を超えた、富山を感じる体験施設。

地域に開かれた屋上庭園「オノマトペの屋上」や、
富山の食材と食器とアートが楽しめるレストランが併設。

美しい体験　美術館というと、世界各国の美術品や工芸品が展示され、収蔵作品の数や価値が、その美術館自体のステータスにもなるような、まるでアートの〝宝箱〟。しかし、最近の美術館に多くみられる傾向が、「街に開かれた施設」であること。先進的で目を引く美術館もよく見かけるが、果たしてそこは、地域に根づいているかどうかが重要だろう。新しく美術館をつくるということは、同時に〝美しい文化を生む〟ということ。設計者の内藤廣氏は、初めて美術館が建つ前の「富岩運河環水公園」に訪れた時、「ふわふわドームで元気に跳ねる子どもたちと、美しい立山が見えた」と、言う。収蔵作品の数や価値、集客しやすい企画やコピー……ではなく、その土地の暮らしに寄り添うように、美術館は、デザインされるべきなのだと、僕は思う。地元の作り手たちの作品も紹介する「TADギャラリー」は、観覧無料。過去に開催した『世界ポスタートリエンナーレ トヤマ』の入選・受賞作品は、全てコレクションとしてアーカイブされ、一部はタッチパネルで自由に見ることもできる。ワークショップを開催するアトリエからは立山連峰が望め、子ども連れの参加者は、併せて屋上庭園で遊んでいく。富山県は、今でこそ〝デザイン県〟と称されるが、根本の根本に、その土地への愛がある。未来のために大切なのものは、形のない〝体験〟。美しいものは、自然の恩恵を受け、生まれてくるものなのだ、と気づかされた。（神藤秀人）

Toyama Prefectural Museum of Art and Design

1. Organizer of The International Poster Triennial in Toyama (IPT)
2. Offers stunning views of Fugan Canal Kansui Park and the Tateyama Mountain Range
3. A hands-on facility transcending the bounds of a typical art museum, TAD lets you fully experience Toyama

Art museums today often feature cutting-edge designs. But we should ask ourselves whether such aesthetics are rooted in the local community or not. In the Toyama Prefectural Museum of Art & Design (TAD)'s case, we should say that a museum is, after all, a local hub for beauty culture. The "TAD Gallery" is free of charge and introduces visitors to TAD. All selected and prize works from the International Poster Triennial (IPT) in Toyama, are archived in the TAD design collection. These IPT posters can be viewed both at the exhibition room and on touch-screen panels. The atelier where workshops are held boasts views of the Tateyama Mountains. Toyama is celebrated for its design traditions, and TAD exhibits a genuine love for that local culture. During my visit I was being reminded that true beauty is inspired by nature. (Hideto Shindo)

26

光徳寺

富山県南砺市法林寺308
Tel: 0763-52-0943
9時〜17時
木曜休、年末年始休
福光駅から車で約10分

1. 板画家・棟方志功と最もゆかりある寺院。

棟方が疎開した福光にあり、彼の残した作品を多く展示。
棟方の絵が彫られた高岡銅器の梵鐘も現存。
特筆すべきは、襖絵『華厳松』。

2. 代々蒐集してきた“民藝”のコレクション。

小鹿田焼や備前焼など、境内に点在する壺や甕。
建物の中には、李朝の壺から、河井寛次郎や、
濱田庄司といった民藝ゆかりの陶芸家の焼物を展示。

3. 南砺市の“土徳文化”の発信地。

「となみ民藝協会」や「水と匠」などと開催する、
さまざまな文化イベント。

棟方志功の足跡　山門をくぐると、境内に置かれた無数の壺や甕。建物の中には、アフリカのベッドや、李朝の花器など、ありとあらゆる工芸品が、まるで博物館のよう。ここは、お寺?と、疑うが、正真正銘、建立500有余年、真宗大谷派の寺院「光徳寺」だ。富山県には〝民藝〟が根づいている、とよく聞くが、その理由の一つに、板画家・棟方志功の存在が挙げられる。きっかけは、1938年。民藝運動を通して、棟方が、当寺18代住職・高坂貫昭さん(故)と出会ったこと。もともと真宗の教えは、〝他力本願〟。それは、民藝にも通じる部分が多い。幾度も寺に訪れては、五箇山にスケッチに行ったりと、自然豊かなこの地の魅力に惹き込まれていった棟方。ある時、寺の裏山を散策中にインスピレーションを受け、一気に描き上げたという襖絵『華厳松』は、現在も土蔵で保管し、公開もしている。1945年には、疎開する棟方の家族に、分家した弟の家を明け渡したという18代。疎開中は、紙だけでなく、襖や壁、自身の彫刻刀、さらには子どもに買ってあげた下駄にまで、絵を描いたというエピソードも興味深い。また、「だまし川」など、周辺には、関連作品も残っているので、棟方ゆかりの地を巡るのも面白いだろう。この棟方の〝福光時代〟は、のちに民藝の提唱者・柳宗悦が書き上げる『美の法門』へと繋がっていく。作為的なものづくりではなく、「土徳」というその土地らしさを感じる〝デザイン寺院〟。(神藤秀人)

Kotoku-ji Temple

1. A temple with extremely close ties to Woodblock printmaker Shiko Munakata
2. Home to a *mingei* traditional crafts collection built up over generations
3. Original source of Nanto City's ***dotoku*** culture

Upon passing through the temple gate, one encounters a vast array of jars and pots, an African bed, even ancient vases—Kotoku-ji is more museum than Buddhist temple. Toyama's history is said to be rooted in *mingei*, a claim often backed with references to celebrated woodblock printmaker Shiko Munakata. In 1938, Munakata got to know this half-millennium-old temple's 18th head priest Kansho Kosaka through the *mingei* traditional crafts movement.Munakata made repeated visits to the temple and enjoyed the natural splendors of the area. His set of fusuma sliding door paintings, Kegonmatsu, is said to have been inspired by a stroll in the hills behind the temple, and this work is still kept at Kotoku-ji. Woodblock prints by the artist can also be seen in the area around the temple, signifying its strong local ties to Munakata. (Hideto Shindo)

SCOT
(Suzuki Company of Toga)

富山県南砺市利賀村上百瀬 70-2
Tel: 0763-68-2356
www.scot-suzukicompany.com/
砺波ICから車で約1時間

1. 利賀村を拠点に活動する劇団。

世界中から人を呼ぶ、『Summer Season』を毎年開催。
代表演目『世界の果てからこんにちは』は、2020年、続編を初演。

2. 1982年建設の磯崎新氏設計の野外劇場。

池や山などを借景に、この場所でしかできない演劇。
日本最大級の合掌造り「新利賀山房」や、
八角形の「利賀スタジオ」など。

3. 入場料は、“ご随意に”。

利賀の活動と、世界の未来のために、入場料金の設定はなし。
劇団員は日々、村で共に暮らしている。

小さな村で示す文化の未来　今(2021年夏)は、昨年から続くコロナ禍の真っ只中。さまざまな文化施設が休館し、多くのイベントの開催が見送られる中、40年続けてきた国際演劇祭『SCOT Summer Season』は、今年も開催された。「利賀芸術公園」は、演出家・鈴木忠志氏主宰の劇団「SCOT」の拠点。建築家・磯崎新氏が設計した野外劇場や、合掌造りを改装した「新利賀山房」など、ここにしかない劇場が並ぶ。富山市内からでも車で1時間半、しかも険しい山道を行く厳しい立地だが、毎年世界各地からも観客が訪れ公演は全て満席。チケットの予約は電話のみだが、対応するのは役者を含む劇団員で、予約のやりとりからすでに演出が始まっている。美しい自然以外は何もない環境が潔く、待ち時間は、「グルメ館」で酒や料理を買うのもよし、自前でキャンプするのもよし。ゆっくり過ごす時間が心地よい。陽が落ちれば、代表演目『世界の果てからこんにちは』の開演だ。緩急織り交ぜた気迫ある動きと、セリフの中に笑いを誘うユーモア、そして本物の花火を使った演出は圧巻。終演後は団員と観客が一緒になって舞台上で酒を酌み交わす、その時間も素晴らしい体験(コロナ禍で'20・'21は中止)だ。同じ時、同じ場所でこれだけ多くの人と感動を共有できること、今だからこそ、その重みをより実感する。鈴木氏の「文化の灯火を消さない」という言葉が心に残った。そのために、また来年も必ず来たいと思う。(進藤仁美)

SCOT
(Suzuki Company of Toga)

1. A theatre company based in Toga, Toyama
2. An Open Air Theatre was built in 1982, designed by the celebrated architect Arata Isozaki
3. All performances in Toga have no set entrance fee; audience members pay what they can or "as they wish"

The Suzuki Company of Toga (SCOT) theatre group directed by Tadashi Suzuki operates out of the Toga Art Part of Toyama Prefecture, which boasts unique facilities including an Open Air Theatre designed by Arata Isozaki and the New Toga Sanbo theatre with a traditional steep-thatched-roof design. Despite the secluded mountain location, people from all over the world pack shows to capacity—with phone reservations taken by troupe members themselves! Before shows, visitors can enjoy meals and sake at the Gurume-kan food court. There is even a designated camping area.After the sun sets, SCOT performs "Greetings from the Edge of the Earth" featuring quick, spirited movements and humorous lines, all accompanied by fireworks. After the show, performers share drinks with the audience to complete this once-in-a-lifetime experience. (Hitomi Shindo)

28

富山地方鉄道

アルプスエキスプレス

4月15日〜11月30日の土・日曜、祝日運行
※2021年4月1日改正
電鉄富山 7時発〈普通列車〉宇奈月温泉行（8時43分着）
宇奈月温泉 9時発〈特急アルペン2号〉
立山行（10時34分着 ※寺田 10時発）
立山 11時28分発〈普通列車〉電鉄富山行（12時32分着）

Tel: 076-432-5540（鉄軌道部）
www.chitetsu.co.jp/?page_id=3838

1. 富山・立山・宇奈月温泉を繋ぐ、デザイン観光列車。

「立山黒部アルペンルート」や、「黒部峡谷トロッコ電車」など、富山らしい観光へと繋がる公共交通機関。

2. 能登半島や、立山連峰の眺望。

常願寺川に架かるコンクリート造りの「芳美橋」など、町から峡谷へ、富山ならではの景色を走る。

3. 西武鉄道の車両を再利用した、水戸岡鋭治氏デザイン。

薬や越中和紙など、車内にはギャラリーも設置。宇奈月温泉駅には、足湯処をデザイン。

富山のみんなの列車　北陸新幹線「E7系」。騒音や空気抵抗を重視した〝流線形〟。東京・富山間が、わずか2時間8分というから、そのデザインは、評価に値する。しかし、僕の周りには、かつての特急「はくたか」や、新幹線なら「0系」「200系」が好きだという人が結構多い。「アルプスエキスプレス」は、そんな現代では希少な〝ロングライフ電車〟。1969年、西武鉄道の車両として池袋・西武秩父間を走っていた初代「レッドアロー号（西武5000系）」。1995年の廃車に伴い、2編成6両がこの富山県へと運ばれてきた。地方の鉄道は、都市部に比べると格段に利用者も少なく、新しい車両を作る余裕は無いに等しい。そこで、「富山地方鉄道」は、市民の〝足〟に加え、観光誘致を目的とし、同車両を購入。デザインは、九州旅客鉄道でお馴染みの水戸岡鋭治氏。外装はそのままに、内装をリニューアル。2号車には、外向きのカウンター席に、開閉式のテーブルがあるボックス席。アテンダントも常駐し、地酒の販売、富山売薬や越中和紙のギャラリーも、水戸岡デザインならでは。さらに富山では、「立山黒部アルペンルート」や、「黒部峡谷トロッコ電車」など、この路線から繋がる登山・産業観光が卓越している。2024年には、その二つを繋ぐ〝第二ルート〟も開業予定。地ビールを呑む登山客に混ざって、温泉帰りの老夫婦、さらには勉強する高校生も。時代も用途も超越した、富山らしい列車。（神藤秀人）

Alps Express

1. Introducing a stylish tourist train connecting Toyama, Tateyama and Unazuki Hot Springs

2. Outward-facing counter seating offers views of the Noto Peninsula, Tateyama Mountains and other sights

3. The cars are repurposed Seibu Railway stock redesigned by Eiji Mitooka

The Alps Express uses railway cars once operated by Seibu Railway on first-generation Red Arrow trains in Kanto. After Seibu took these models out of service in 1995, six cars from two trains were sent to Toyama. Compared with large urban operators, small local railway companies find it financially difficult to buy new rolling stock. At Toyama Chihou Railway, they purchased old railway cars from Seibu for use in both local transport and tourism operations. The Seibu cars were redesigned by Eiji Mitooka, who is celebrated for his work with JR Kyushu, and the line carries alpinists and tourists alike to outstanding destinations such as the Tateyama Kurobe Alpine Route and the Kurobe Gorge Railway's trolley line. Along the way, you'll encounter beer-chugging climbers, hot spring bathers and high school students—only in Toyama!
(Hideto Shindo)

茶寮 和香

富山県高岡市金屋本町 2-26
Tel: 0766-75-8529（要予約）
ランチ 11時30分〜14時　ディナー 18時〜22時
日曜休、祝日休
www.facebook.com/nicoca25/
高岡駅から徒歩約15分

1. 鋳物の元地金屋の建物を利用した日本料理店。

高岡の保存地区に建つ、格子造りの建物を改築。
吹き抜けのある文化的空間。

2. 皿やグラス、花器など、随所に高岡の“ものづくり”がある。

「KISEN」のグラス、「京田仏壇工房」の金箔の皿、
「momentum factory Orii」の花器——五感でいただく高岡の食。

3. 店主の解説付き、主に高岡の食材を使った和食。

料理のことだけでなく、高岡の文化についても、
訊けば何でも教えてくれる、料理人の早川勇人さん。

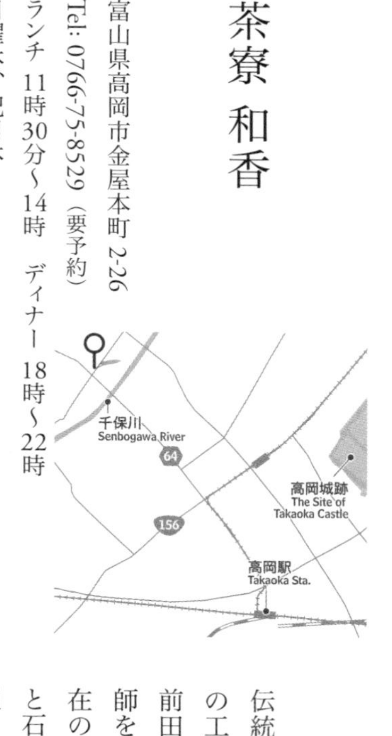

伝統工芸を味わう　仏具に見られる銅や真鍮、金箔などの工芸の町・高岡。江戸時代初期、加賀藩の2代藩主・前田利長が、高岡の新たな「産業」として、7人の鋳物師を招いて、鋳物工場を開かせたというのが始まり。現在の金屋町は、高岡鋳物発祥の地として、格子造りの家と石畳が続く、風情ある通りだ。「茶寮 和香」は、その通りの、まさに鋳物の「地金」の問屋だった商家を、素敵に改築した日本料理店。暖簾をくぐると、開放的な吹き抜け空間が広がり、天窓からは穏やかな明かりが射し込む。「お料理スタートさせていただきます」と、店主・早川勇人さんの声がけから始まるコース料理は、兎にも角にも、地元産の食材を、こだわって使う。前菜の青ズイキや黒トマト、揚げ物のホタテのおかき揚げなど、一品一品丁寧に説明してくれる。八寸については、「京田仏壇工房」の京田充弘さんによる珍しい金箔の皿に、バイ貝やイチジクなどが煌びやかに盛られる。高岡ならではの豪華絢爛な一皿だ。料理に合わせて頼んだ地酒「勝駒」は、漆と銅が合わさった「KISEN」のグラスでいただいた。時折、包丁を置き、棚から器を取り出しては、「これも高岡の技術なんですよ」と、どこか誇らしげで嬉しそう。「アルベキ社」や「momentum factory Orii」など、料理から、ものづくりへと話題が転じていくのも、この店ならでは。「町の生業や建物も味の一つ」と、早川さん。高岡を知り、〝高岡を味わう〟店。（神藤秀人）

Saryo Nikoka

1. Japanese cuisine restaurant inside a building formerly used by a metal wholesaler serving casting workshops
2. Filled with dishes, glasses, flower vases and other items crafted in Takaoka
3. Meals are prepared mainly using Takaoka ingredients and accompanied by fascinating shop-owner explanations

The town of Takaoka is replete with crafts made from copper and brass, with some even using gold leaf. In the early 17th century, Kaga Domain lord Maeda Toshinaga invited seven metal casters to open workshops in Takaoka and foster a new local industry. Today, Saryo Nikoka occupies a building once used by a metal wholesaler for that very industry.During my meal, the owner carefully explained each item. I enjoyed an appetizer of taro stems and black tomatoes, followed by Japanese Babylon sea snail, figs and more placed onto gold-leaf-covered dishware made by Kyoden Butsudan Kobo, served with local Kachikoma sake in lacquered-copper KISEN glassware. Integrating the building itself, local flavors, and crafts from producers including the Albeky Company and momentum factory Orii, Saryo Nikoka delivers a true taste of Takaoka. (Hideto Shindo)

30

キッチン花水木

富山県富山市南田町 1-2-13
Tel: 076-461-4595
1日1組の限定営業（3日前までに要予約）
kitchenhanamizuki.net
上本町電停から徒歩約1分

1. 富山県の食材を使った“創作富山料理”。

鯛の丸ごと“昆布締め”や、ブリ大根のペンネアラビアータ、
バイ貝のスパイスグリルなど、
見たことも食べたこともない、新しい富山料理。

2. 看板や調理道具、器にも富山のデザイン。

井波彫刻のプレートや、お花畠窯の皿を使い、楽しませてくれる。
「林ショップ」の『岩井窯作陶展』（隔年開催）に合わせ、食事会を開催。

3. 花水木通りを拠点とした自由なセントラルキッチン。

ケータリングやオードブルの御用命多数。
食事処としての利用は、基本複数名から。
デザインスーパー「黒崎屋」で、お惣菜も販売。

富山駅 Toyama Sta.
D&DEPARTMENT TOYAMA
富山城 Toyama Castle
41
上本町電停 Kami-honmachi Sta.
ハナミズキノヘヤ Hanamizukinoheya

アイデア溢れる美味しい台所　富山の旅は、指折りの〝美食の旅〟でもあった。海も山も川もあれば、春も夏も冬も来る。つまり、近い範囲でさまざまな環境が取り巻き、それに伴って独特の食文化が残っている。しかも、新鮮な食材が手に入りやすく、料理人にとっては、面白い土地。「キッチン花水木」の田中裕信さんは、そう言う。花水木通りにある1日1組限定の店は、複数名の事前予約を基本としている。というのも、せっかくならばいろいろな食材を使って、コース仕立ての大皿料理を、みんなでシェアして食べるというのが、この店のスタイル。お惣菜やオードブル、ケータリングのためのセントラルキッチンの役割もあり、料理の資料や、食器や道具の配置など、まるで作家のアトリエのよう。僕は、d富山店のスタッフと一緒に、持ち寄ったワインを呑みながら、キッチンに立つ裕信さんを覗き込むなどして、料理を待った。すると、彼の実兄であり、井波の彫刻家・田中孝明さん作の、使い勝手がいいという木ベラや木皿を、惜しまず見せてくれ、ブリにも勝る、氷見のマグロを、特別にその皿に盛り付けてくれた。そこからが孤高のシェフ裕信さんの真骨頂。白エビは、パスタに、行者ニンニクは、ローストビーフに。そして極め付きは、鯛丸ごと1匹を昆布で締め（ここまでは「昆布締め」）、それをさらに蒸し焼きにしてしまう。そのどれもが絶品。食材や伝統料理に、幾重にもアクセントを加える自由素敵な料理。（神藤秀人）

Kitchen Hanamizuki

1. **Original Toyama cuisine made using local prefectural ingredients**
2. **The restaurant sign, cooking utensils, tableware and more all feature local Toyama designs**
3. **Serves as a flexible central kitchen on Hanamizuki-dori Street**

Toyama is home to rivers and seas, and blessed with rich seasonal variations. These environmental factors foster a unique culinary culture, while ease of ingredient procurement makes it an appealing place for chefs.So says Hironobu Tanaka of Kitchen Hanamizuki, a restaurant that serves just one group per day (by reservation) using a diverse range of ingredients to prepare multi-course deals. Furthermore, they act as a central kitchen for other business, appearing like an artisans' workshop displaying culinary reading materials, dishware, utensils and more. During my visit, I enjoyed Japanese glass shrimp, pasta, Siberian onion, roast beef, and even an entire sea bream wrapped in kelp and steamed. Each was more delicious than the last, with unique twists added freely to each ingredient and traditional recipe. (Hideto Shindo)

L'évo

富山県南砺市利賀村大勘場田島100
Tel: 0763-68-2115
ランチ、ディナーともに要予約　水曜休、夏季休業あり
levo.toyama.jp
城端駅から車で約45分

砺波IC
Tonami Exit
城端駅
Johana Sta.
156
472
庄川
Shogawa River
304
471
五箇山IC
Gokayama Exit
利賀芸術公園
Toga Art Park
まれびとの家
Marebito no Ie

1. 富山の風土を奮起させる“前衛的地方料理”。
そうきたか！　唸るほど美味しくて、新しい料理の数々。
シェフ・谷口英司氏のアイデアは、無限。

2. 富山の“ものづくり”が集結した
デザインレストラン。
釋永岳氏の器から、「Shimoo Design」のテーブル。
「tototo」の照明に、「松井機業」のメニュー表まで、
匠たちの“総力戦”空間。

3. 利賀村を体感する、美しいオーベルジュ。
集落の古民家の建具を利用するなど、
1日3組限定、3棟のコテージは、富山の建築家・齋田武亨氏。

料理で繋がる絆　越中五箇山の一部、利賀村にあるレストラン「L'évo」。野生の動物も行き交う山奥へ車を走らせると、突如現れる黒い建物。レストラン棟1つと、宿泊専用のコテージが3つ。鬱蒼とした森を切り拓き、2020年にオープン。予約の時間に、ラウンジに向かうと、まず、神代欅の大木が出迎えてくれる。壁一面の窓ガラスの向こうには、手つかずの樹木たち。こんなところにレストラン……それが、僕の第一印象。店内は、オープンキッチン。「鳥居セメント工業」の「テラクリエ」を加工したカウンター越しに、オーナーシェフの谷口英司さんが、腕を振るう。『ミシュランガイド』で、2つ星で掲載された店である以上、食材・調理法・味つけは、意趣卓逸、想定外の〝極美味〟。さらに注目したいのは、この旅で出会った取材先の人たちが、フレンチという垣根を超え、一堂に集結していることだ。ものづくりという大きな共同体の中の革新的な〝聖堂〟にも思えてくる。「その土地らしい料理」とは何か？　本誌にも、『富山県の味』と題して、県内の生産者を訪ね、地元のお母さんたちには、郷土料理を学び、一皿の〝定食〟を開発する連載コーナー（p.132）もあり、食を語る上では、人と繋がりは欠かせない。都内にある有名レストランの創作料理ではなく、今、この場所でしか創れない、人と自然とが奏でる、料理という〝体験〟。ジャンルを超えた匠たちの絆を感じる、唯一無二のレストラン。（神藤秀人）

L'évo

1. Avant-garde regional cuisine that encourages unique Toyama culture
2. Designer restaurant bringing together Toyama crafts and design
3. Gorgeous ***auberge*** offering a true Toga-mura experience

As you enter L'évo's lounge, you are greeted by a huge, ancient, sacred tree—which makes quite a first impression. Just behind the open kitchen's counter, built by *Torii Cement Kogyo*, stands owner and chef Eiji Taniguchi. His restaurant has two stars in the *Michelin Guide*, and they strive for nothing less than the best in all areas including ingredients, cooking and seasoning. Moreover, L'évo serves as a unified center for all types of production and craftsmanship—a mecca of creation. Their food is not the type one finds at famous places in Tokyo; rather, it represents something that can only be made here and now in this village, celebrating both people and nature to deliver a personal culinary experience. It is a singular restaurant, focused firmly on Toga-mura, where one can strongly sense the bonds with other people. (Hideto Shindo)

32

最勝寺 行鉢

富山県富山市蜷川377
Tel: 076-429-1285
毎月第三火曜　19時集合、19時30分開始
www.saishozen.com/home.htm
富山駅から車で約15分

1. 蜷川城跡の寺で体験する、“食べる禅”。

永平寺など、北陸の本山を拠点に全国に広がった「曹洞宗」に伝わる食事作法を、誰でも気軽に体験できる。朝ごはん「行粥」（隔月）なども開催。

2.「応量器」（僧侶専用の食器）を使った、“和の心と富山”を味わう料理。

禅の調理の心得が記された「典座教訓」に則って作られた丁寧な食事は、高岡市の蕎麦店「蕎文」による。「仏供米」や、富山産の旬の野菜を使用。

3. 1197年創建。和尚自らデザインしたモダンな空間。

ガラス戸から入る、モダンな玄関ホール。坐禅蒲団をルーツとしたクッション「ZAF」など、日常使いのプロダクトなども取り扱う。

健やかに生きる思想と実践　禅といえば、黙って坐禅、集中が切れたらバシッと肩を叩かれる。あのスティーブ・ジョブズも注目した……その程度しか知らなかった私だが、禅の修行を続けている。「最勝寺」は、一休さんもよく訪れたという由緒ある禅寺。谷内良徹和尚は、現代に合った形で禅を伝えるさまざまな活動を行なっている。その一つが「行鉢」。鎌倉時代に永平寺を開いた道元禅師が伝え、今に至るまで受け継がれてきた食事の作法で、禅の正式な修行でもある。応量器と呼ばれる僧侶専用の器を持って、木魚や太鼓が鳴る中、仏様が見守る本堂へ。単（禅堂の座席）に並べられた坐蒲に座り、応量器を並べ、料理をいただき、器を片づけるまで、食事の最初から最後まで、全て細かく手順が決まっている。僧侶が実際に行なう手順を、略さず体験できる。料理を作るのは、高岡市の蕎麦店「蕎文」の今井武文さん。禅の教えに則りながらも、季節を感じる丁寧な料理は、通いたくなる動機の一つ。食事の合間や終了後には、和尚が禅の教えをわかりやすく教えてくれる。「行鉢という丁寧な食べ方を通じて命の繋がりをより実感する」という話が心に残った。今食べた料理は、素材を育んだ自然があり、作る人がいて、料理を受け止める自らの体があって初めて成り立つのだと改めて気づき、感謝する気持ちも湧く。身近な食事を通して、健やかに生きるためのヒントを学び実践する、誰にでも開かれた現代の修行の場。（進藤仁美）

Saisho-ji Gyohatsu

1. Take part in ***Zen Buddhist*** meal traditions in a temple on the Ninagawa Castle site
2. Experience Japanese tradition and Toyama to the fullest using ***oryoki*** dishware
3. Visit a modern space designed by a Buddhist priest, in a temple built in 1197

I initially perceived *Zen* meditation as a severe practice requiring unbroken focus, but now I know better and I've even become a regular practitioner. Saisho-ji monk Ryotetsu Taniuchi offers a variety of *Zen* activities tailored to contemporary tastes. One of these, known as *gyohatsu*, is a formal method of taking meals dating back to the Kamakura Period (1185–1333). Participants eat from traditional *oryoki* dishes while adhering to strict ritual rules on everything from dish placement to the taking of food and final cleanup. At Saisho-ji, participants experience the exact same *gyohatsu* as the monks. Food is prepared by Takefumi Imai of Takaoka *soba* noodle shop Kyobun, and the carefully crafted, seasonal dishes serve as good motivation for continued attendance. Alongside meals, Taniuchi even offers simple *Zen* lessons. (Hitomi Shindo)

33

若鶴酒造 三郎丸蒸留所

富山県砺波市三郎丸208
Tel: 0763-37-8159
9時00分〜17時 水曜休、年末年始休
※見学は、10時40分〜、13時20分〜、15時〜
www.wakatsuru.co.jp/saburomaru/
油田駅から徒歩約1分

1. 世界初の高岡銅器製ポットスチル。

錫も配合され、味がまろやかになる蒸留器「ZEMON」。
富山県産ミズナラなどを使った樽づくりも進行中。

2. 地元のものづくりを活かし広める、ウイスキー造り。

「momentum factory Orii」の看板に、井波彫刻のウイスキーキャット。「三郎丸1960」(55万円)は、「富山ガラス工房」の手吹きガラスをボトル採用。

3. 大正蔵から始まる、わかりやすい工場見学。

2016年、クラウドファンディングで蒸留所改修。
"室ジェクションマッピング"など、ユニークなアイデアが点在。

ウイスキーだけじゃない蒸留所　日本酒『玄』や『苗加屋』などの銘柄で知られる「若鶴酒造」による、北陸唯一のウイスキー蒸留所「三郎丸蒸留所」。工場見学に参加すると、まず、最初に目に入るのが、蒸留所の入り口に設置された銅製の看板。高岡市の「momentum factory Orii」によるもので、銅板に米糠などを使って着色しているそうで、見た目も斬新。ロゴは、同じく高岡市のグラフィックデザイナー・中山真由美さん。ウイスキーの香りが広がる蒸留所内には、醸造用の木樽がずらりと並ぶ。中には、富山県産のミズナラの樽も。樽の話から原料のことまで、ウイスキー造りの基本は、一通り教えてくれる。特に面白いのが、高岡銅器製のポットスチル(蒸留器)「ZEMON」。そもそも蒸留器は、金属の板を叩いて成形してつくるため、部分的に厚みの差ができたり、穴が開いて故障もしやすい。それを鋳物の技術を使えば、分厚く丈夫に、そして、錫を配合することで、お酒がまろやかに。さらに、分解して、輸送も簡単。この土地だから生まれた奇跡のポットスチルだ。現在、国内で日本酒の蔵は、1400以上もある中、ウイスキー蒸留所は、30ほど。今後もこの日本で残っていくために必要なものとは——2016年に、クラウドファンディングで改修した三郎丸蒸留所には、何よりも"地域への愛"がある。ウイスキーだけでなく、産業も工芸も人情も、伝統と未来を繋ぐ、"デザイン蒸留所"。(神藤秀人)

Wakatsuru Saburomaru Distillery

1. The world's first Takaoka copper pot stills.
2. Whisky-making in the tradition of Toyama craftsmanship.
3. A uniquely informative and comprehensive distillery tour.

Saburomaru is the Hokuriku region's only whisky distillery. As you embark on the distillery tour, the first thing that strikes your eye is the copper sign at the entrance, made from Takaoka copper dyed with rice bran for a novel look. The logo is by Takaoka graphic designer Mayumi Nakayama. The aroma of whisky fills the distillery; wooden casks line the walls, some made of Toyama oak. The tour provides a thorough overview of the basics of whisky-making, from the ingredients to the aging process. Especially fascinating are the Takaoka copper pot stills, a uniquely local creation. Metal casting techniques make them thick and sturdy, while the tin content gives a smooth flavor to the whisky. What does it take for a distillery to survive in today's Japan? For Saburomaru, more than anything, it's love for its home of Toyama. (Hideto Shindo)

34

林ショップ

富山県富山市総曲輪 2-7-12
Tel: 076-424-5330
11時～19時　火・水曜休
荒町電停から徒歩約3分

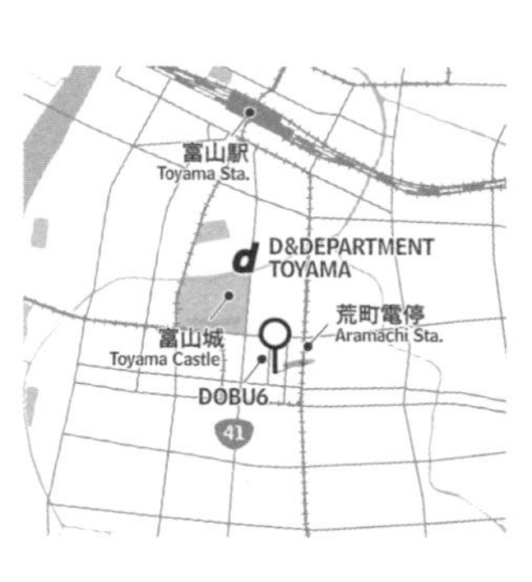

1. 民藝品に加え、「KAKI CABINET MAKER」など、富山らしいセレクト。

「桂樹舎」の椅子敷きや、「お花畠窯」の器や陶額、「とやま土人形」など、富山を感じる工芸ショップ。

2. アートやデザイン、店主・林悠介さん自身がクリエイティブ。

「岩井窯」の作陶展の繋がりから、岩井窯・山本教行さん、写真家・山崎諭さん、グラフィックデザイナー・高森崇史さんによる写真集（印刷は、山田写真製版所）の制作に協力。

3. 総曲輪の名店「きくち民芸店」からの今。

本願寺富山別院の敷地内にあり、ガレージを利用した“長屋的商店”。2021年夏、自店をリニューアル。

幸せを生む〝民藝〟の店　富山駅からライトレールに乗り込み、町の風情を感じながら、荒町電停で下車する。総曲輪のアーケード街も、綺麗にリニューアルされていく中、浄土真宗「本願寺富山別院」の周辺は、未だに趣深い町並みが残っている。昼は、蕎麦店「つるや」で、夜は、居酒屋「DOBU6」、というのが僕のお決まり。他にも、映画館「ほとり座」や、古本「ブックエンド」などもあり、お茶をするなら、「SIXTH OR THIRD」もいい。そして、この町が、今も根強い人気があるのには、間違いなく「林ショップ」の存在がある。この場所で、40年近く続いた「きくち民芸店」を、2010年、縁があって引き継ぐ形で店を始めた林悠介さん。〝民藝〟というよりも、彼の規格外の活動が面白い。例えば、アート。店内にも飾られる絵画が素敵。そして、デザイン。12年かけて発表してきた、「大寺幸八郎商店」の高岡銅器の干支人形や、d富山店の企画展『うしとうそ とやまの土人形』のために、土人形をデザイン（企画は、グラフィックデザイナー・宮田裕美詠さん）。隔年秋に開催する鳥取県の「岩井窯」の作陶展では、南田町の「キッチン花水木」と一緒に食事会も開催。「作り手を紹介するだけではなく、作り手と新しいクリエイションを生むことを大切にしたい」と、林さん。2016年には、仲間と一緒にシェアスペース「スケッチ」を、自店の隣にオープンした。買い物以上に、人や町を豊かにする店。（神藤秀人）

Hayashi Shop

1. **A selection of unique Toyama products, from traditional crafts to KAKI CABINET MAKER's furniture.**
2. **Owner Yusuke Hayashi is a creative artist and designer himself.**
3. **The legacy of Sogawa's iconic Kikuchi Mingeiten.**

In 2010, Yusuke Hayashi inherited Kikuchi Mingeiten, a Sogawa fixture for almost 40 years, and started his own shop. More interesting than his *mingei* business, though, is what he does on the side. Like art: his shop is decorated with exquisite paintings. And design: he designed copper figurines for Otera Kohachiro Shoten's zodiac series, and clay dolls for d Toyama's *"Cows and Lies: Clay Dolls of Toyama"* exhibition. He also sponsored a dinner event with Kitchen Hanamizuki of Minamida-machi at the biannual fall Iwaigama pottery exhibition in Tottori. "For me, what's important is not just showcasing creators, but helping them to create new things," says Hayashi. In 2016, he and his friends opened the shared space Sketch next door. Hayashi Shop is more than a place to buy things; it enriches the town and its people.
(Hideto Shindo)

35

Healthian-wood

富山県中新川郡立山町日中上野20-1
Tel: 080-3525-8964
10時〜16時
第3水曜休、年末年始休、冬季休業あり
healthian-wood.jp
五百石駅から車で約10分

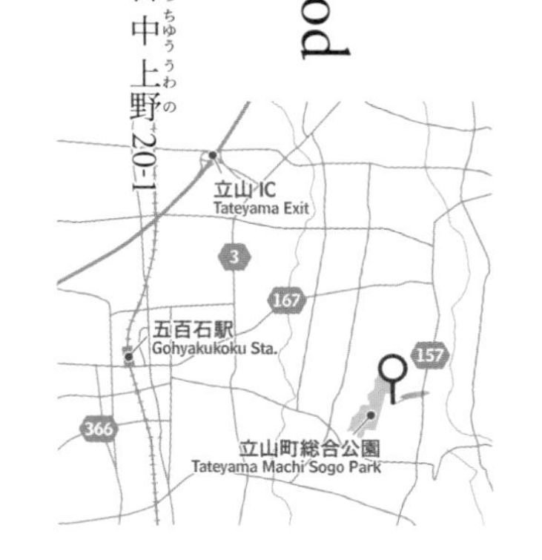

1. 立山町の原風景に広がるウェルネスヴィレッジ。

富山県の「前田薬品工業」などにより、2020年誕生。ハーブをテーマにしたショップやレストラン、施術所や宿泊施設など、拡張していく健やかな村。

2. 自社農園栽培のラベンダーや、立山のヒノキを使い、デザインされたアロマ製品。

薬の県・富山のデザインプロダクト「Taroma」。

3. 立山町ならではの新しい“健康体験”。

気軽にいただける自家製ハーブティーが美味しい。摘み取りや蒸留見学など、ハーブを使ったワークショップ。

健やかな現代の村　江戸時代より〝薬都〟として栄えた富山県は、今も多くの製薬メーカーが残る。「前田薬品工業」も、皮膚薬が専門だが、社長の前田大介さんが力を入れるのは、病にならないための心身のケアだ。前田さんは以前、過労で倒れたことがあり、その時にアロマテラピーに出会った。長く続いた体の不調が、アロマテラピーで、すっと消えたことに感銘を受け、一念発起。皮膚薬メーカーとしての知見と検証を積み重ね、2018年にアロマ製品のブランド「Taroma」を立ち上げた。その翌々年、ケアを体験する場として「Healthian-wood」を作った。敷地内は、アロマの原料となるハーブや、レストランで使う食材の畑に囲まれている。その中に、富山の旬の食材や、体調に合わせて選べるハーブティーをいただけるレストラン、精油を抽出する工房などが点在している。工房では、「Taroma」の製品も購入でき、スタッフがハーブの効能やケアの方法を、丁寧に教えてくれる。どの施設からも一望できる畑の景色からは、気持ちのいい開放感と、製品に対する自信と安心が感じられる。設計は建築家・隈研吾氏で、建築にも地元の素材と作り手の力が活かされている。そこには、この場所で作られたものと集まった人で、ここを育てていきたい、という前田さんの思いがある。その土地で育つものを食べ、自然の力で心身を癒し、みんなでこの場を作ること。健やかな暮らしに必要なものが詰め込まれた場所だ。（進藤仁美）

Healthian-wood

1. A beauty and wellness village boasting unspoiled natural views of Tateyama-machi
2. Aroma products crafted using lavender grown in the facility's own fields, Tateyama cypress, and more
3. Novel, hands-on health experiences unique to Tateyama-machi

Toyama is, historically and currently, a major pharmaceutical industry center. Maeda Pharmaceutical Industry specializes in skin-treatment drugs, but its president Daisuke Maeda—who has personal experience with the benefits of aromatherapy—has also been focusing efforts on combined physical-mental care to prevent illness. They launched the "Taroma" aroma product brand in 2018 and established the experience-focused facility Healthian-wood in 2020. Here, visitors are surrounded by fields of herbs and vegetables used in Taroma products and at a restaurant which offers customer-tailored herbal teas. There is even an oil extraction workshop. Healthian-wood was designed by celebrated architect Kengo Kuma and built using local materials and professionals. You'll find everything here you need to live a healthier, happier life.
(Hitomi Shindo)

36

流動研究所

富山県富山市婦中町富崎(ふちゅうまちとみさき) 4717-1
平日のみ、HPから要予約
www.peterivy.com/ja/
千里駅から車で約5分

富山駅
Toyama Sta.
富山西 IC
Toyama-nishi Exit
神通川
Jinzugawa River
8
472
359

1. ガラス作家、ピーター・アイビーさんの工房兼ギャラリー。

2007年、日本有数のガラス工芸の土地・富山で開業。
住居スペースも併設し、暮らしの中から生まれるものづくりがある。

2. 富山市の古民家を、自らデザインし、改築。

照明や扉、壁面にもガラス。
階段の手すりは、鉄道の線路をリメイク。

3. ガラス工芸の枠を超えた、圧倒的な造形力。

照明やジャーなど、独創性豊かな作品が購入できる。
木や金属も加工する、自由自在なガラス工房。

ガラスの家　富山県で訪れたホテルやオーベルジュのインテリアを、より美しく飾っていたのは〝照明〟。明かりを取るだけでなく、代え難い特別な時間をも、演出していた。それは、ガラス作家のピーター・アイビーさんの照明で、富山市の田園風景が広がる地域で生み出されている。古民家を改築し、工房兼ギャラリー、そして、自宅として暮らしているピーターさん。ギャラリーは、ホームページからの予約制。小川からの水が流れる室内は、開放的な吹き抜けになっていて、壁や扉にも、自作のガラス。もちろんあの照明も、天井から下がっている。センスよく並べられた作品は、購入もできる。ゴブレットやボトル、ジャーやプレート……ソープバブルホルダー（シャボン玉保管器）なんてユニークなものも。スモーキーなグレーが特徴的で、工房での作業風景も見せてくれる。実は富山県のガラスは、世界的にも有名で、作家の数はもちろん、市内には、独立支援のための工房もあるほど。ピーターさんのボトルは、手に取った時のフォルムが美しく、使うシーンをデザインしているよう。ギャラリー横のキッチンからは、パスタジャーなどが誕生した背景が垣間見え、同時に今現在、研究も続いている。良いデザインとは、暮らしの中から生まれてくるものであり、それを惜しまず公開している。木工とガラスを組み合わせた「Ojyu」など、アイデアも独創的。全てのものづくりの手本にしたい、革新的ガラス工房。（神藤秀人）

Peter Ivy Flow Lab

1. **The studio/gallery of glass artist Peter Ivy.**
2. **A traditional Toyama house, redesigned and renovated by Ivy himself.**
3. **Astounding shapes and forms that transcend the bounds of ordinary glass crafts.**

Peter Ivy lives in a renovated traditional house that also serves as a studio and gallery. The interior, featuring flowing stream water, is an expansive vaulted design, with walls and doors (and ceiling lights) made of Ivy's own glass. These neatly arranged fixtures are available for purchase. The smoky gray color is Ivy's hallmark, and he's happy to let you watch him at work. Toyama is actually world famous for glass; it's home to numerous artisans and a business support system for them. The kitchen next to the gallery offers a glimpse at how Ivy's pasta jars and other works came to be, and his research still continues. Good design is born from our daily lives, and Ivy isn't afraid to show it. Designs like the wood-glass *Ojyu* reveal his amazing artistic sense. This innovative studio truly shows what craftsmanship can be. (Hideto Shindo)

37

KOBO Brew Pub

富山県富山市東岩瀬町 107-2
Tel: 080-3047-9916
11時〜18時　火曜休
www.facebook.com/kobobrewpub/
東岩瀬電停から徒歩約10分

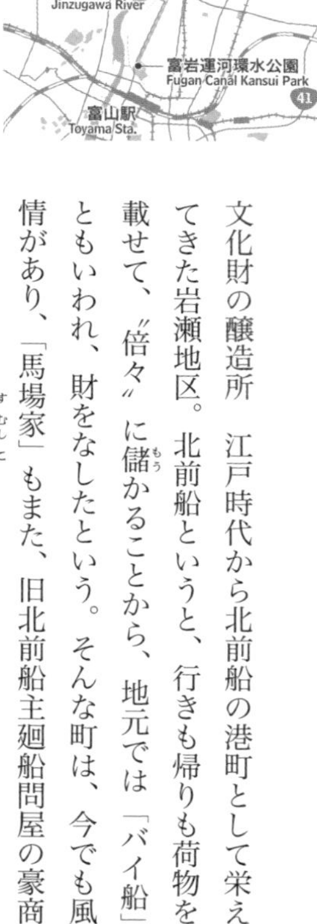

1. 北前船主廻船問屋の米蔵にあるブリューパブ。

北陸の五大北前船主「馬場家」の敷地内にある、
ビール醸造所兼酒場。ビール好きも歴史好きも訪れる。

2. 満寿泉やセイズファームなど、富山ならではの副原料ビール。

「メツゲライ・イケダ」のソーセージに、
「呉羽梨」のフルーツビール。風土を感じるメニュー。

3. 築100年以上の米蔵を改築した、圧巻のデザイン空間。

約10メートルもの杉一枚板のテーブルが2台、どこに座っても壮観。
壁には井波彫刻のサインボード。

文化財の醸造所　江戸時代から北前船の港町として栄えてきた岩瀬地区。北前船というと、行きも帰りも荷物を載せて、〝倍々〟に儲かることから、地元では「バイ船」ともいわれ、財をなしたという。そんな町は、今でも風情があり、「馬場家」もまた、旧北前船主廻船問屋の豪商の家だった。「簾虫籠」など、岩瀬独特のデザイン建築は、入館料を払えば、見学ができる。入ってすぐの広間は、豪壮な梁組みに、畳の配置がモダン。新座敷は、繊細なつくりの建具や装飾が施され、当時の流行が表れている。さらに、約30メートルもの通り庭を通って、海へと繋がる西門へ。その右手、米蔵の中、なんと、ブリューパブがあった。2020年にオープンした「KOBO Brew Pub」は、広大な蔵を、丸ごと一棟使っている。重厚なガラスの引き戸を開け、蔵の中に入ると、まず目に入るのが、巨大な杉板のテーブル席2台。中央には、ガラス張りの醸造ルームがあり、今、まさにビールを造っている。チェコ出身のジリ・コティネックさんが、醸造を取り仕切り、スロバキア出身のボリス・プリエソルさんが、流暢な日本語で注文を聞いてくれる。お薦めのメニューは、地元の副原料を使った、〝富山らしいクラフトビール〟。地酒「満寿泉」の酒粕を使った『ドラゴンエール』や、氷見の「セイズファーム」の葡萄酵母を使った『セイズラガー』など、どれもが呑みやすく美味しい。岩瀬の歴史探訪の合間に、必ず寄りたい驚きのパブ。（神藤秀人）

KOBO Brew Pub

1. Brewpub based out of a rice warehouse once belonging to a ***kitamae-bune*** merchant ship business
2. Beers made with unique Toyama ingredients from ***Masuizumi Shuzoten***, SAYS FARM and other producers
3. Impressive interior design using a renovated rice warehouse that's over 100 years old

Toyama City's Iwase port district thrived during the *Edo* Period serving *kitamae-bune* domestic merchant vessels, and it's still a charming area today. It's also home to Baba-ke, the former manor of a merchant-vessel handler. The main hall boasts a magnificent pillar arrangement alongside a modern-style *tatami* mat layout, and the *shin-zashiki* parlor showcases period trends in design and ornamentation. Continue past the garden to the west gate, and you'll find KOBO Brew Pub in the old rice warehouse! Opened in 2020, this brewpub uses the entirety of the sprawling warehouse. Don't miss out on their Dragon Ale, SAYS Lager, and other Toyama-esque beers made using ingredients from local producers. All of them go down easy and taste great. Hidden away in a back corner of Iwase, this brewpub is more than worth the visit. (Hideto Shindo)

38

BRIDGE BAR

富山県射水市八幡町 1-12-5
Tel: 090-8098-4690
16時〜23時　月曜休
www.bridge-bar.jp
新町口駅から徒歩約10分

1. 漁師町・新湊の新名所“内川”の川べりにあるバー。

町家ならではの建物をリノベーション。
本来の“裏口”を、“入り口”に。漁師町を活性化する店。

2. 運河が覗ける、吹き抜けのデザイン空間。

設計は、「コラレアルチザンジャパン」。
尾山製材所のオーセンティックなカウンターに、飛騨木工の椅子。

3. アメリカ人オーナーならではの、楽しい工夫。

バラエティー豊かなノンアルコールカクテルに、
週替わりの「藤井くんスペシャル」。ちなみに、テイスティングセットは、
氷見市の造形作家・古川歩氏の作品で提供される。

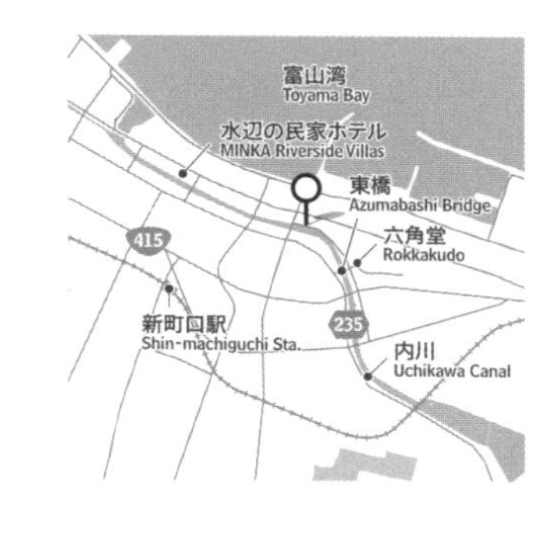

未来への懸け橋　射水市の運河・内川周辺もまた、江戸時代から北前船の中継地として栄えてきた町。今も、川の両岸には、たくさんの漁船が停泊していて、どこか懐かしい青色の風景（船の内側が青く塗装されている）が続いている。およそ、2キロもある川べりを歩くと、ほぼ中間地点に、「BRIDGE BAR」はある。決して派手さのないファサードに、『BAR』という青い光を灯すネオン看板が目印だ。この地域本来の町家のスタイルは、実は川側は“裏”。玄関は、川と反対側の道路沿いにあって、建物は、縦に長い“鰻の寝床”。オーナーのスティーブン・ナイトさんに聞くと、この内川を中心とした店づくりを目指していて、バーの入り口は、あえて川側。店内では、バーテンダーの藤井宏祈さんの颯爽とした立ち振る舞いも魅力的。オーセンティックなカウンターに、川の見えるソファ、吹き抜けの中2階など、用途に合わせて自由に選べる多様な空間。メニューは、オリジナルカクテル「内川ブルー」から、地元のワインやウイスキーに、スティーブンさんの故郷アメリカのウイスキーも充実している。さらに、ノンアルコールカクテルも選べ、一人客はもちろん、車で来る家族（運転手）も、朝が早い地元の漁師も、多くの人が利用でき、内川へ訪れるきっかけにもなっている。閉店後、深夜1時を過ぎると、船は海へと出ていく。近代化される日本の中で、歴史が今も続く、数少ない町。本来ある町の個性を、後世に伝え広める工夫がある。（神藤秀人）

BRIDGE BAR

1. A bar on the banks of the Uchikawa Canal, the new must-see spot in the fishing town of Shinminato.
2. Smartly designed atrium overlooking the canal.
3. Fun little touches courtesy of the American owner.

The area around Imizu's Uchikawa River has long flourished as a port for trading ships. Even today, fishing boats line the canal on both sides; it all feels a bit nostalgic. At BRIDGE BAR, easily recognized by its blue neon sign, you'll find sofas overlooking the canal, a two-story atrium, and a vintage bartop. Menu options range from the original "*Uchikawa Blue*" cocktail to American whiskies from owner Stephen Knight's native land. And for early-rising fishermen and those who have to drive, there are non-alcoholic cocktails, too. When the bar closes at 1:00 a.m., it's time for the boats to head out to sea. Uchikawa is one of a few places where history lives on in a modernizing Japan. BRIDGE BAR captures its unique charm and makes it accessible to a new generation. In doing so, it bridges the past and the future. (Hideto Shindo)

39

DOBU6

富山県富山市総曲輪 2-8-14
Tel: 076-493-0146
17時〜25時　日曜休
dobu6.com
荒町電停から徒歩約3分

1. ロックと、富山の日本酒、厳選店。

「林」をはじめ、「勝駒」「曙」「羽根屋」など、
ロックグラスで呑む、粋な日本酒酒場。
昆布締めや、「幻魚」の天ぷらなどは、入荷時のみ。それが絶品。

2. 2011年『TOYAMA ADC賞』受賞。

グラフィックは、「パドルアンドチャート」の大谷学さん。
富山市在住の芸術家・西藤博之氏の版画や彫刻を
テーマにしたイベントも開催。

3. ラジオ番組『MUSIC FROM D!』を、共同主宰。

「オレンジ・ヴォイス・ファクトリー」の越澤勝さんや、
ライターのピストン藤井さんなどと、ラジオ番組を企画・運営。

アングラ居酒屋　日本全国津々浦々、旅の中で出会った〝居酒屋〟は、星の数ほどある。居酒屋と有るべきもの、デザインは度外視、でも土着的。壁は黒ずみ、床には吸い殻。どこか田舎の実家のような安堵感。だから、皆が好きで、ある種のサロンのような場所。そこで、今回ご紹介する居酒屋が、「DOBU6」だ。過去の旅の中でも、デザイン賞(T-ADC賞)を受賞している居酒屋は珍しく、ロゴやホームページもセンスがいい。元新聞社の雑居ビルの1階にあり、壁には地域のイベントや映画館のポスター。漫画家・堀道広さんが描いた、地酒「曙」のイラストは、丁寧にCDジャケットに額装。店主・土肥明さんが厳選した地酒が絶品なのはもちろんのこと、「昆布締め」や「ハムフライ」などの料理もどれもが美味。中でも、八尾の「福鶴酒造」と造る限定の地酒「字轟」は面白い。ラベルは芸術家・西藤博之さんの版画作品で、僕が1合注文すると、西藤さんが制作した井波彫刻のお猪口で呑ませてくれた。2020年以来、コロナ禍によって、居酒屋だけでなく飲食店は頭を抱えている。そんな中、明さんは、持ち前の音楽(ロック)魂に火がつき、仲間と一緒にラジオ番組『MUSIC FROM D!』を始めた。収録は、同じビルの2階、水曜日限定のバー内。今では、ライターのピストン藤井さんも参画し、地元でも人気の番組に。もはや居酒屋という枠を超え、コミュニティーに似て非なる店。富山のアンダーグラウンド文化の震源地。(神藤秀人)

DOBU6

1. **Rock music and the finest Toyama sakes.**
2. **Winner of the 2011 Toyama ADC Award.**
3. **Joint sponsor of the "MUSIC FROM D!" radio show.**

In all my travels, DOBU6 is one of the few bars I've found that's both won a design award and has a chic logo and website. Located on the 1st floor of a mixed tenant building, its walls are decorated with posters for local events and movie theaters. Not only are the local sakes—hand-picked by owner Akira Doi—top notch, but so is the food. Especially interesting is *Aza Todoroki*, an exclusive local brew from the Fukutsuru brewery in Yatsuo. The picture on the label is by woodcut artist Hiroyuki Saito, and it's served in cups with Inami carvings by Saito himself. Even as the bar scene suffered during the COVID-19 pandemic, Doi was inspired by his passion for rock music to start the radio show "MUSIC FROM D!" with his friends. DOBU6 has become more than just a bar: it's the epicenter of Toyama's underground culture. (Hideto Shindo)

40

ハナミズキノヘヤ

富山県富山市南田町 1-6-1
Tel: 076-423-5557
19時〜24時頃　水曜休
上本町電停から徒歩1分以内

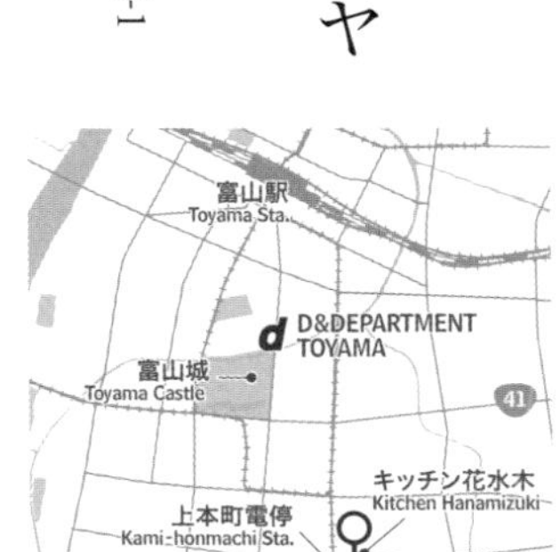

1. 花水木通りの歴史・文化を感じる、カフェ&バー。

デザインもアートも音楽もファッションも食も、
富山市の情報が行き交う、市民のサロン。

2. オーナー水原健造さんの人生が、既に文化的。

1973年、花水木通りに「アンサンブルビル」を建設、
ジャズ喫茶「NEW PORT」を開業。
飲食店が3軒入る「FIRST SONG」は、2019年オープン。

3. テラゾタイルなど、富山版“モダニズム建築”。

“現テラ真鍮”の床の施工は、「鳥居セメント工業」。
社名「ラ・アンサンブル」のロゴは、グラフィックデザイナー・伊藤久恵氏。

富山らしい文化とは？　２０１９年に完成した、商業シェア施設「FIRST SONG」。僕は、知人に誘われ、その中のおでん居酒屋「飛弾」に入ったが、既に満席、おでんもわずか（涙）。昼間は、サンドイッチ店「ROSETTA O MICHETTA」やカレー店「カレーガーデン」も人気だそうで、訊くところによると、その施設のオーナーこそ、花水木通りの文化人・水原健造さん。もはや、町のランドマークにもなっている蔦に覆われたレトロ建築「アンサンブルビル」も彼の物件。アパレルショップやイベントスペースが同居する3階建てのビルの1階、「ハナミズキノヘヤ」は、19時オープンのカフェ＆バー。格子状に青いビニールテープが貼られた看板が、営業中の目印。扉を開け、富山随一のグラフィカルなテラゾタイルの店内へ。健造さんが、まだ20代の頃、富山では、音楽やファッションといっても、たかが知れていた。そんな時に、ジャズ喫茶「NEW PORT」を開業。１９７３年には、同ビルを建て、ライブハウスを作り、多種多様の文化を入り交じえてきた。今では、息子の憲人さんが、店長兼バーテンダーを務め、ドリンクをサーブしてくれる。町には、「キッチン花水木」や「花水木ノ庭」など、新ジャンルの場も増えている。ジャン・コクトー、小村雪岱、ジョン・コルトレーン、美空ひばり、アルマーニ、ピンクハウス、棟方志功、鼠小僧（？）……店内に流れる音楽に耳を傾け、“自分らしい文化”を、繙く店。（神藤秀人）

Hanamizukinoheya

1. Cafe and bar rich in Hanamizuki-dori Street history and culture
2. Owner Kenzo Mizuhara's life has been defined by cultural pursuits
3. The shop design utilizes terrazzo tiles and other elements of Toyama-style modernist architecture

A well-known Toyama landmark, the ivy-covered, retro-design Ensemble Building is home to various shops, including Hanamizukinoheya on the first floor. This cafe and bar puts out its shop sign, made with blue tape in a crisscrossing pattern, at 19:00 to let customers know they're open for business. During his twenties, owner Kenzo Mizuhara lived in Toyama when the city had little to offer in things like music and fashion, so he opened the jazz cafe NEW PORT. In 1973 he built the Ensemble Building and established a live music hall, using these to intermix diverse cultural elements. His son Kento is currently owner and bartender. Today, you can come to enjoy the music while exploring Jean Cocteau, Settai Komura, John Coltrane, Hibari Misora, Giorgio Armani, Isao Kaneko's PINK HOUSE, Shiko Munakata, and even Nezumi Kozo. (Hideto Shindo)

41

Bed and Craft

富山県南砺(なんと)市本町 3-41
Tel: 0763-77-4138
1泊朝食付き1室 38,000円~(2名利用時)
bedandcraft.com/
南砺スマートICから車で約15分

1. 木彫、漆芸、陶芸など、各建物ごとにテーマを持つ“まちやど”。

建具屋や料亭などの古民家を、彫刻家や陶芸家などの井波の職人と一緒に、リノベーションした宿。

2. 井波の職人から教わる、ものづくり体験。

彫刻家や漆芸家などの工房で、自分の作品を作れる。仏師・石原良定さんのところでは、仏像の蓮華座(れんげざ)を象(かたど)った「豆皿」を。

3. ギャラリーショップ「季の実」で購入できる、若くて新しい井波土産。

ラウンジに併設のビストロバー「nomi」では、彫刻師が削った木くずを使った燻製(くんせい)料理が楽しめる。

職人たちの〝まちやど〟日本一の木彫りの町・南砺市井波。「井波彫刻」の始まりは、真宗大谷派の井波別院「瑞泉寺」の再建のために、京都東本願寺の御用彫刻師・前川三四郎が派遣され、その技を地元の宮大工に伝えたことから。山門から本堂へと、その彫刻の技術に刮目(かつもく)する。柱や屋根、欄間、さらには、消火器のサインにまで彫刻——今では、彫刻家だけでなく、さまざま作家も住みつき、職人の町としても有名な井波。そんな井波の職人に〝弟子入り〟できるという、ユニークな宿、その名も「Bed and Craft」。町を一つの宿と見立てた〝まちやど〟スタイルで、町内の建物の一つにラウンジがある。部屋も、町に分散していて、それぞれ一棟貸し。しかも、担当作家がいる(!?)。例えば、築50年の元建具屋を改築した「TATEGU-YA」は、彫刻家・田中孝明(こうめい)さんの作品が飾られ、診療所として長く町民の健康を守ってきた「RoKu」は、作庭家・根岸新さんが空間全体に仕掛けを施す。2021年現在、建物は6つ。彫刻家・前川大地さんや、陶芸家・前川わとさん……正直一泊では物足りない。そこで、宿泊者限定で、職人技を体験(弟子入り)もできる。僕は、宿泊した際、漆芸家の田中早苗さん(孝明さんの奥さんで、担当宿は「taë」)の工房にお邪魔し、箸の漆塗りにチャレンジ。後日、自宅に完成した箸が届き、旅の思い出に浸るのもいい。日常の井波の町を知り、世界的な職人の技を学ぶ、まさにデザインされた〝職人のまち〟。(神藤秀人)

Bed and Craft

1. A machiyado where each building has a different craft theme: woodcarving, lacquer, pottery.
2. Hands-on lessons in craftsmanship from Inami masters.
3. New Inami souvenirs on sale at the Kinomi gallery shop.

Inami in Nanto City is Japan's premier woodcarving town. Today, though, it's home to many other types of artists as well—and to Bed and Craft, a unique hotel where you can "apprentice" yourself to an Inami master. Each of the rooms of this machiyado-style establishment, which views the whole town as part of the accommodations, occupies a different building around town—six in all as of 2021. And each has its own resident artist (!). For example, Tategu-ya is decorated with works by woodcarver Komei Tanaka, while RoKu's space is shaped by landscaper Arata Negishi. With so many crafts to explore, one night's stay just isn't enough. And guests get an exclusive chance to experience the crafts for themselves. Where else but this "town of masters" can you get a taste of daily life while learning from world-class craftsmen? (Hideo Shindo)

42

ホテルアクア黒部

富山県黒部市天神新353-1
Tel: 0765-54-1000
1泊素泊まり　1名8,580円～
www.aqua-kurobe.jp
黒部駅から徒歩約1分

1. 黒部の企業「YKK AP」の建材を体感できるホテル。

デザイン設計は、建築家ユニット「みかんぐみ」。
トリプルガラス樹脂窓など、防音・断熱、体感できるエコなホテル。

2. 黒部駅周辺のまちづくりの一環でリノベーション。

1階には、一般客が利用できるカフェやショップを併設。
レストランでは、県内唯一、店内の熟成庫で
自家熟成させた「黒部名水ポーク」を提供。

3. 「K-HALL」など、黒部の旅の拠点に便利。

「黒部市美術館」「YKKセンターパーク」「パッシブタウン」なども近く、
リーズナブル。

黒部発の環境に優しい〝エコホテル〟大概のシティーホテルの部屋は、机はあるけれど狭くて仕事にならない。デスクワークに不向きな設計なのだろう。そして、エアコン問題。全館共通の温度設定などになると、就寝時の乾燥が気になる。ゆっくり寝たい時に限って、廊下の宿泊客の騒ぎ声……なんてことは、しばしば。そんな悩みを解決したシティーホテルこそ、黒部市の「ホテルアクア黒部」だ。設立は2004年。耐震改修と、黒部駅前のまちづくりの一環として、2019年にリノベーション。設計は、エコハウスの研究でも知られる建築家ユニット「みかんぐみ」。黒部といえば、ファスナーの世界シェアトップを誇る「YKK」がある町。そのグループ会社「YKK AP」もまた建材メーカーとしても有名。客室には、高性能トリプルガラス樹脂窓「HOTEL MADO」を備え付け、さらに、足元の隙間を埋める「HOTEL DOOR」を設置。真夏に僕も泊まってみたが、エアコンをほとんどつけずに過ごせたほど、超快適。できるだけ自然材料を使おうと、客室の机やベッドヘッド、姿見やクローゼットにも樺桜の木を。デスクワークもはかどる居心地のよさだった。宴会場には、ひみ里山杉を使い、ホテルの外壁には、断熱材の上に、県産の杉材を覆っている。雨や雪で表情が豊かになる設計だ。周辺では「パッシブタウン」など、環境に良い取り組みも増える黒部。移住希望者も一度、泊まって体感してみるのがいい。（神藤秀人）

Hotel Aqua Kurobe

1. Experience designs using building materials and fittings from Kurobe company YKK AP
2. A hotel built as part of a revitalization project to improve the Kurobe Station area
3. K-HALL and other facilities make this a convenient base of operations for Kurobe tourists

Hotel Aqua Kurobe was designed by MIKAN Architects, a firm known for their eco-home research. Kurobe is the home of YKK. Planners also worked with influential building-material company YKK AP, part of Kurobe's world-famous YKK Group. Guestrooms use YKK AP's "HOTEL MADO" triple-layer-glass windows, and "HOTEL DOOR" which eliminates floor gaps. I stayed in the middle of summer and found the room comfortably cool despite barely using the AC. Natural materials are used wherever possible. Much of the rooms' furniture is made from cherry tree wood, and the banquet hall features Himi Satoyama Cedar from nearby Himi City. The building exterior uses Toyama Prefecture cedar to achieve greater visual expressiveness in rain and snow. If you want to get a better feel for Kurobe, Hotel Aqua Kurobe is a good place to start. (Hideto Shindo)

43

つりや東岩瀬

富山県富山市東岩瀬町 120
Tel: 076-471-7877
1泊素泊まり1室 40,700円~(2名利用時)
※4名まで同料金
tsuriya-iwase.com/
東岩瀬電停から徒歩約10分

1. 富山の魚問屋が作ったショップ併設の宿。

天然ぶりのコンフィや、寒ぶりハムなど、
「つりや」の加工食品が買えるショップがあり、
イートインもできる(ただし、調理は不可)。

2. 岩瀬の旧診療所を改築した趣ある建物。

診療所の後に「桝田酒造店」の倉庫だった物件を、
リノベーション。FUTAGAMIやピーター・アイビーなど、
家具には富山デザイン。

3. 1日1組限定のモダンな“まちやど”。

夕食は、近隣の寿司店や割烹もいいが、
ライトレール(市電)で、富山市市街地へも便利。

魚屋、丘の次は、〝まち〟へ 富山きってのデザイン魚屋「釣屋魚問屋」が、氷見の丘の上に、「セイズファーム」を作ったのが、2007年。ワイン造りも板に付いてきて、県内の飲食店でも、セイズのワインをよく見かけるようになった。2014年には、宿(ステイ)もオープンし、富山湾と立山連峰が望める最高の環境の中、レストランでは、ぶりの生ハムや、白エビのブルスケッタなど、相変わらずの美味しい料理を、ワインとのペアリングでいただき、そのまま満天の星空を堪能しながら、眠りにつく。ここまででも十分素敵な魚屋だと思っていたが、なんと次の挑戦は、呉東(氷見は呉西)のまちなかへ。「つりや東岩瀬」は、江戸時代から北前船の港町として栄えてきた岩瀬地区にある。川岸を背に、今でも廻船問屋が立ち並び、その旧北国街道沿い。かつて診療所だった建物をモダンに改築している。1階がイートインもできるショップで、「つりや」の加工品が全て揃う。目玉は、2階部分。1日1組限定の宿泊施設になっている。富山らしいインテリアに、もちろんワインも完備。中には、岩瀬の「桝田酒造店」とコラボレーションした日本酒も。夕食は外で、という〝まちやど〟スタイルだが、岩瀬は勢いのある飲食店も多く、また、市電を使えば繁華街へも便利。朝食は、桐箱にセットされた「御料理 ふじ居」の出汁でいただくぶりの糠漬けの茶漬けで、質、量、ともにセンスがいい。静かな港町に生まれた、泊まれる魚屋。(神藤秀人)

Tsuriya Higashi Iwase

1. An inn-plus-shop built by a Toyama fish wholesaler.
2. An elegant Iwase building that was once a doctor's clinic.
3. A modern machiyado that only accommodates 1 group of guests per day.

It was in 2007 that Tsuriya, Toyama's premier designer fish wholesaler, founded SAYS FARM on a hill in Himi. For its next venture, Tsuriya went to Iwase, a district on the other side of town that grew up as a port for trading ships. There, just off the old Hokkoku Road, is Tsuriya Higashi Iwase, a modern reinvention of an old doctor's clinic. The eat-in shop on the 1st floor has a full range of Tsuriya products. But the centerpiece is on the 2nd floor: an inn that accommodates just one group of guests per day. The interior is quintessential Toyama, and of course the wine list is top notch. This is a machiyado—guests have to find their dinner in town—but there are plenty of lively options in Iwase, and the nearby light rail takes you right to the heart of the city. In a serene port town, where else to stay but a fish shop? (Hideto Shindo)

44

まれびとの家

富山県南砺市利賀村大勘場433
1泊素泊まり 1名25,000円〜
marebitonoie@gmail.com
marebitonoie.studio.site
城端駅から車で約50分

砺波IC
Tonami Exit
472
城端駅
Johana Sta.
156
304
庄川
Shogawa River
471
利賀芸術公園
Toga Art Park
L'évo
五箇山IC
Gokayama Exit

1. 利賀村の限界集落に生まれた、モダンなゲストハウス。

山間に建ち、自然を満喫する、快適で静かな田舎体験。
“マレビト”という文化を伝えている。

2. 「ShopBot（自動制御木材加工機）」を活用した、現代の“合掌造り”。

古民家や地元の木材を使い、製作を地域で完結する
サステナブルなプロジェクト。

3. 地元ならではの山菜尽くし料理。

岩魚やすす筍などの「利賀の山里御膳」に加え、猪や鹿などの
「利賀のジビエ鍋」も、全てお薦め。山菜採りの体験ツアーも。

「マレビト」になろう　富山県南西部、携帯の電波も届かないような山奥も山奥。南砺市利賀村は、標高1000メートル以上の山々に囲まれ、面積の97パーセントが森林という、人口500人程度の村。国道を進むと、ぽつぽつと集落があるくらいで、コンビニは以ての外、外灯もないほどの長閑な地域。あるのは、美しい大自然。そんな場所に、「まれびとの家」はある。「合掌造り」や、町屋工法の「枠の内」といった五箇山ならではの建築様式を組み合わせた、斬新なデザイン建築。まるで、〝LEGOブロック〟のようだが、3Dによる設計と解析により、構造はしっかりしている。中に入ると、居住性も問題なく、エキストラベッドを含め、最大4人までは泊まれる。この地域では、毎年、厳しい冬を越えた春先に、お祭りが開かれ、そこで村人たちは、お互いの集落を行き来するという。それは、村の発展のために、共同体として、外からの技術や文化を、積極的に受け入れようとする地域性――マレビト。過疎化などの社会問題に直面する利賀村で、まず考えついたのが、「移住者」ではなく、稀に訪れてくる人が、日々入れ替わりながらも常に〝住人として存在している〟ことだったという。宿を管理するのは、集落に住む、建築業を営む上田英夫さん夫妻。妻の明美さんは、山菜採りの名人で、宿泊時の夕食や朝食は、〝山のご馳走〟をいただける。僕も、二度利用し、村の存続を願う、マレビトの一人になった。（神藤秀人）

Marebito no Ie

1. A modern guest house in the marginal village of Toga.

2. Contemporary A-frame structure built using ShopBot tools.

3. A rich array of Toyama cuisine made with wild vegetables.

The village of Toga in Nanto—population around 500—is surrounded by mountains over 1000 meters high and is 97 percent forested. It's there you'll find Marebito no Ie, whose innovative design combines A-frame architecture with Gokayama's distinctive waku-nouchi style. It may look like Lego blocks, but it's actually solidly built thanks to 3D design. Each spring, after the harsh winter, the locals hold a festival where people visit each other's villages. It's part of a local tradition called marebito worship, in which the community as a whole seeks out new technology and new culture from outside to help it develop. Faced with the problems of a shrinking population, the people of Toga's first thought was not to attract new residents, but to treat visitors as a permanent part of the community, no matter how short their stay. (Hideto Shindo)

Bed and Craft／コラレアルチザンジャパン

山川智嗣

富山県南砺市本町 3-41
Tel: 0763-77-4544
bedandcraft.com / corare.net
南砺スマートICから車で約15分

1. 木彫の町・井波をリブランディングし、コミュニティーを作った。

彫刻家や漆芸家に弟子入りできる“まちやど”「Bed and Craft」代表。

2. 古民家をセンスよく改築する、井波在住の建築家。

南砺市の「Bed and Craft」シリーズをはじめ、
射水市の「BRIDGE BAR」など、県内外の店舗を設計。

3. 富山県のデザインプロダクトをプロデュース。

井波の職人たちと作るオリジナルの木工品やお菓子。
「三郎丸蒸留所」とは、地元のミズナラ材を使ったギフトボックスを展開。

まちの職人　木彫の町・井波にある分散型のホテル「Bed and Craft」。その周囲は、活発なコミュニティーが広がっていて、彫刻家や漆芸家、陶芸家、作庭家、仏師、料理人、写真家……さまざまなクリエイターが集まっている。その中心人物が建築家・山川智嗣さんだ。富山市出身の山川さんは、学生時代、東京で建築を学び、2009年から約6年間は、中国を拠点に活動してきた。中国の職人の技術と協業しながら、たくさんの建物を設計してきたという。2016年には、同じく建築家でもある妻・さつきさんと共に、井波に拠点を移し、元建具屋だった物件を改築し、事務所を作った。それから、地元の工務店と仕事をしていくうち、縁も深まり井波の職人たちと出会っていく――ホテルの「BnCラウンジ」の並びには、彫刻家・田中孝明さんのアトリエ「トモル工房」がある。今では、家族ぐるみの付き合いだが、「Bed and Craft」シリーズ最初の宿「TATEGU-YA」は、孝明さんと作った。およそ200本もの彫刻刀を使い分ける井波の職人たち。興味があればと、僕を彫刻刀専門店「匠雲堂」へ案内してくれた。せっかくなら材料も見に行こうと、神代欅などの銘木が揃う「野原銘木店」へ。途中、旧井波駅、紡績工場、そして、井波彫刻の礎を築いた「瑞泉寺」と。持ち前のキャラクターと設計力と職人への敬意が、今の活動に繋がっている。日々、技術を磨く職人と同じように、彼も〝まち〟を磨いている。（神藤秀人）

Bed and Craft / Corare Artisans Japan
Tomotsugu Yamakawa

1. Rebranding the Inami wood-carving region and building a community
2. An Inami-based architect adept at tastefully renovating old houses
3. Offers unique Toyama Prefecture designer products

Inami, traditionally known for its wood-carving traditions, is home to Bed and Craft. A lively community has formed around this hotel, including wood carvers, ceramic artists, garden designers, Buddhist-image sculptors, chefs, photographers and others creative individuals. At this community's center is architect Tomotsugu Yamakawa. He was born in Toyama and studied architecture in Tokyo, then spent about six years designing buildings in China together with local pros. In 2016, he moved with his wife—also an architect—to Inami where they renovated an old building-materials shop for use as an office. Yamakawa's inherent character, design skills and respect for craftsmen underpin his current efforts, and just like those artisans who strive to polish their skills every day, he is working to refine and improve Inami as a whole.
(Hideto Shindo)

富山県総合デザインセンター

桐山登士樹

富山県高岡市オフィスパーク5
Tel: 0766-62-0510
9時〜17時
土・日・祝日休、年末年始休
toyamadesign.jp/
高岡砺波スマートICから車で約5分

1. 富山のデザインを変えた総合プロデューサー。

「富山県総合デザインセンター」の設立に関わり、
現在同センター所長にして、富山県美術館副館長。

2. 日本初の商品化を前提としたデザインコンペを企画。

企業とデザイナーを繋ぐ、富山らしい“マッチング商品”。
食品分野にも領域を拡大『越中富山 お土産プロジェクト』。

3. 新たなイノベーションを生み出す場として、「クリエイティブ・デザイン・ハブ」を整備。

2021年、「バーチャルスタジオ」を拡充し、大型設計物の開発をサポート。

富山デザインの先駆者　富山県は、グラフィックデザイナーが多い。それは、富山売薬の歴史もあり、パッケージデザインが根づいているからでもあるだろう。高岡を代表する伝統産業のように、地域性や技術面でみても、〝ものづくり〟の現場としては、日本でも指折り。しかし、企画やアイデアを形にする、肝心のプロダクトデザイナーは、ほとんどいなかった。「富山県総合デザインセンター」の所長、桐山登士樹さんは、1993年、最初に富山県に来た時を、そう振り返る。今でこそ、「能作」「ナガエ」「タカタレムノス」など、世界的にも知られるメーカーが成長したが、その原動力を作ったのが、桐山さん。彼の構想は、全くもって明快。〝いなければ、呼べばいい〟。富山の技術と、全国のデザイナーを繋ぐ打開策。1994年に、全国初の商品化を前提とした『富山デザインコンペティション』をスタート。地場産業をテーマにし、鋳物メーカーなどが課題を出した。「デザインにはお金がかかるだけで売れない」という根本的な課題も、ロイヤリティー制度を導入し、これまで四十数点が商品化。その他、県内の企業は、デザインセンターを通じて、日本中のデザイナーとさまざまな〝マッチング商品〟を生み出している。県の施設ではあるが、これからは独立していけるようにならなくてはいけないと、自身でも『幸のこわけ』『技のこわけ』に続く、『美のこわけ』を企画中。富山だけではなく、デザイン業界全体をプロデュースしている。（神藤秀人）

Toyama Design Center
Toshiki Kiriyama

1. **An all-around producer who has transformed design in Toyama.**
2. **Launched Japan's first-ever design competition geared toward product development.**
3. **Established a "Creative Design Hub" as a cradle for innovation.**

As evidenced by Takaoka's traditional industries, Toyama is a leading center of craftsmanship in Japan, in terms of both technology and local character. But it's suffered from a lack of product designers to give shape to projects and ideas. So Toshiki Kiriyama thought: why not bring them here? His solution: the Toyama Design Competition, Japan's first product-focused design event, started in 1994 to connect Toyama technology with designers throughout Japan. Expensive design doesn't always mean successful products, and the event addresses this challenge with a royalty system that has spawned over 40 new products. Through the design center, Toyama-based companies collaborate with designers all over Japan to create a variety of products. Kiriyama's productions have shaped not just Toyama, but the design industry at large. (Hideto Shindo) d 47

水と匠

林口砂里

富山県高岡市内島 3550
Tel: 0766-95-5170
mizutotakumi.jp
高岡ICから車で約2分

1. 呉西の魅力を伝え広める、ユニークな企画力。

「土徳」の文化が根づく富山の魅力を、アートや音楽、
デザインや民藝などと交えて発信する。となみ民藝協会会員。

2. オンラインショップを通じて、富山のものづくりを紹介。

漫画家・堀道広さんの「石肌塗」や、松本魚問屋の「天然鮟鱇」など、
富山の名品を発掘・紹介している。

3. 高岡の手仕事とテクノロジーを融合させた「工芸ハッカソン」を企画。

「高岡クラフト市場街」など、現在も続く富山のイベントにも関わる。

呉西のデザイン観光大使　僕は、林口砂里さんがプロデューサーの「水と匠」が企画した、『善徳寺「虫干法会」と民藝の聖地を巡るミニツアー』に参加した。その日は、年に一度、寺の宝物を「虫干し」と称して、寺院内に展示される、貴重な機会。加賀藩・前田家ゆかりの宝物などが約1万点、そして、前田利家本人も利用したといわれる部屋や、茶室なども現存している。所々、林口さんのわかりやすい解説も交えながら、輪番(寺の責任者)による案内のもと、見学させていただいた。さらに、民藝運動の創始者である柳宗悦が、この寺に、約70日間逗留し、民藝思想の典拠となる論考『美の法門』を書き上げたという部屋にも案内してくれ、柳が感銘を受けたという『色紙和讃』の実物も。他にも、棟方志功が滞在した「光徳寺」や、城端絹織物の「松井機業」にも寄り、参加者皆、普段では味わえないような、この土地に伝わる歴史と風土に、深く、そして楽しく触れることができた。林口さんは、高岡出身。東京でアートや音楽のイベントプロデュースの仕事をしていたが、2012年に、Uターン。富山県の西部の魅力を伝える活動体・水と匠の立ち上げから参画。富山県に根づく仏教や民藝などのハードルも、彼女に委ねれば誰でも簡単に越えていける。圧倒的なアイデアと行動力、そして、地元呉西への愛。友情にも似た林口さんのネットワークは、まだまだ広がり、きっと県全体を巻き込んでいく。(神藤秀人)

Water and Artisans
Sari Hayashiguchi

1. **A unique ability to convey the charms of Gosei to the wider world.**
2. **Showcasing Toyama's craftsmanship through its online shop.**
3. **A "craft hackathon" fusing Takaoka handiworks with technology.**

I went on a mini-tour organized by Sari Hayashiguchi around Toyama's *mingei* meccas. It was a golden opportunity: the one day a year that Zentokuji Temple puts its treasures on display to air them out. Some of the roughly 10,000 items were from the collection of the region's former feudal rulers, including a tea room once used by the famed Maeda Toshiie himself. We also visited Kotokuji Temple, where Shiko Munakata stayed, and Matsui Kigyo, maker of *Johana* silks—intimate (and fun) encounters with Toyama history and culture we wouldn't otherwise have known. Hayashiguchi is a Takaoka native who returned in 2012 from Tokyo. She's been with Water and Artisans—a group dedicated to promoting the charms of western Toyama—since its beginning. Toyama's traditions can be tough to get to know, but with her help, anyone can do it.
(Hideto Shindo)

SCOT
鈴木忠志

富山県南砺市利賀村上百瀬70-2
Tel: 0763-68-2356
www.scot-suzukicompany.com/
砺波ICから車で約1時間

1. 利賀村を拠点とする劇団「SCOT」主宰。
1976年、合掌造りの民家を劇場に改築し、
「SCOT（Suzuki Company of Toga）」を始動。
1982年、日本初の演劇祭『利賀フェスティバル』をスタート。

2. 独自の訓練法「スズキ・トレーニング・メソッド」。
モスクワ芸術座、ジュリアード音楽院（NY）など、
世界中の劇団や学校で学ばれ、
利賀村にも毎年多くの演劇人が学びに来る。

3. 利賀村で生活する文化人。
現在、利賀村で生活する劇団員は、約40人。
家族のように生活を共にし、畑も開墾し、“SCOTファーム”を拡張。

世界に出会える村　1966年、「早稲田小劇場」を立ち上げ、仲間と共に東京中心の演劇活動を行なっていた演出家・鈴木忠志さん。富士山はあっても、雪に縁のなかった静岡県出身。1976年の冬、彼は、利賀村にやって来た。見渡す限り白い雪原の中に、茅葺きの屋根が、自然の力に抗して、天に向かって〝合掌〟していたという。四つん這いになって進み、2階の窓から室内に入ると、今度は対照的に、黒く煤けた柱の林立。太く、高く、自然のままの曲線。荒っぽいが、力強い。初めて日本の家屋に感動したという。そして、その時を境に、拠点を利賀村へ移し、その民家を劇場に改造し「利賀山房」と名づけ、「SCOT」を始動。1982年には、建築家・磯崎新氏設計の野外劇場を増設し、日本初となる国際演劇祭『利賀フェスティバル』を開催。その後も「岩舞台」や「新利賀山房」と、ユニークな劇場を作り、自身の劇団だけでなく、世界各国の劇団の舞台上演も行なってきた。2019年には、国際的な舞台芸術の祭典『シアター・オリンピックス』をロシアと共同開催。今では、過疎化の村（2021年現在の人口500人）に、世界中が注目している。利賀村に来て、半世紀近くが経ったが、その間、世界中で起こり続けている都市部への人口流出。日本だけが世界じゃない、東京だけが日本じゃない、利賀村で〝世界に出会う〟。鈴木さんの言動には、覚悟がある。山奥の小さな村だが、古くから続く〝日本らしさ〟を大切にしている。（神藤秀人）

SCOT
Tadashi Suzuki

1. Suzuki is director of the Toga-mura based theatre company SCOT
2. He utilizes the unique "Suzuki Training Method" approach
3. SCOT is made up of cultural contributors living in the village of Toga-mura

Director Tadashi Suzuki founded the Waseda Shogekijo in Tokyo in 1966. He later moved to the village of Toga-mura, built the Toga Sanbo theatre and launched the Suzuki Company of Toga (SCOT). In 1982, Suzuki added an Open Air Theatre designed by famed architect Arata Isozaki and hosted Japan's first drama festival, the Toga Festival. He later added additional unique facilities which host performances by SCOT and other groups from around the world, and In 2019 he served as the Artistic Director of the Theatre Olympics, an international fair of theatre arts, co-hosted by Japan and Russia. Toga-mura's population is small and continues to shrink as people move to bigger cities, yet it remains a place of international importance. Suzuki believes this tiny mountain village can help the world, as it still preserves singular Japanese qualities from times past. (Hideto Shindo)

富山県美術館
アート＆デザイン

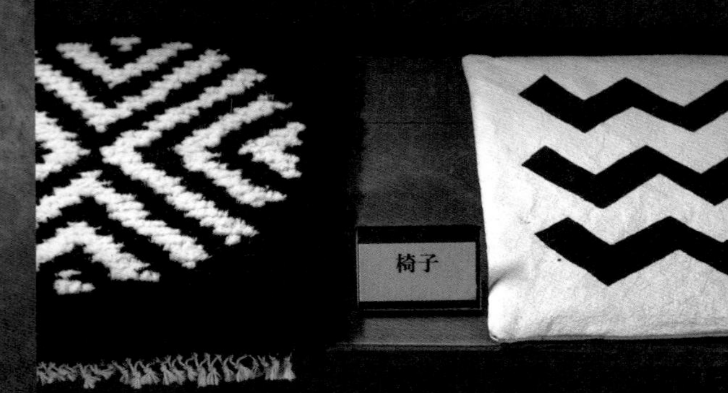
椅子

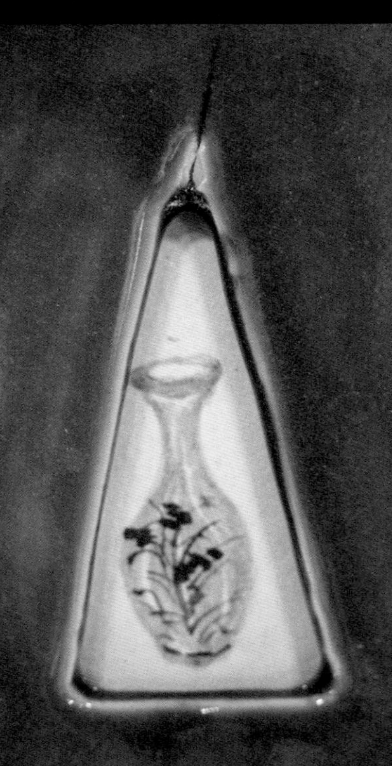

THE STORY OF

KIN-NAKA

富山県のロングライフ・コーポレート・マーク　かわるかわらない

池田模範堂「ムヒ」

Long-Lasting Corporate Logo in TOYAMA
(un-)changed

MUHI by Ikeda Mohando

1930

1950

1967

1982

1990

編集部が行く

編集部日記

神藤秀人(じんどうひでと)

Editorial Diary: Editorial Team on the Go

By Hideto Shindo

8年後の富山県

前編『d design travel TOYAMA』（p.190）が、完成したのが2013年。あれから8年が経ち、2021年現在、富山県は何が変わったのだろうか。まず一番に挙げられるのが、関東側からの鉄道でのアクセス。当時、東京から富山までは、新幹線と特急を乗り継いで、約4時間半かかった。それが、今では北陸新幹線が開業（2015年）し、最短で2時間8分。ずいぶんと便利になった。すると、観光客や移住者を含めた人々の流れに伴い、県全体の「観光」への意識が変わっていった。もちろんそれでも変わらないで続いていることも多く、また、そこから新しい活動が芽生えて、さらに進化している人や場所ものも少なくなかった。今は、まさに北陸エリアにおける〝観光革命期〟とも言え、新幹線が通ることの影響力を、改めて感じる。

　ということで、d design travel 史上初の続編。東京から新生「はくたか」に乗車し、前回の旅を振り返りながら富山へ向かう。黒部川流域の発電所から連なる〝鬼〟（p.017）も健在で記憶が蘇える。そして、相変わらずの曇天に懐かしさを感じ、まずは、富山市を巡る。

1 富山エリア

2015年に新駅舎が完成した富山駅。新幹線の改札を出ると、すぐ目の前の駅構内に「GKデザイン」のライトレール（市内電車）が停車しているが、これは2020年からのこと。駅の北側と、南側とが繋がり、気軽に行き来できるようになった。住民にとっても便利で、『BOOK DAYとやま駅』など、構内を使ったイベントにも人が集まり、文化の交流地点としても機能し始めている。

　駅南、総曲輪エリアには、8年前から編集部の定宿にしていた「富山マンテンホテル」がある。D&DEPARTMENT TOYAMAの入る富山県民会館が近く、「DOBU6」や「ちろり」といった居酒屋のある繁華街へのアクセスもよい。客室自体は、オーソドックスな設えだが、立山連峰を望む展望風呂が、何よりも気持ちがいい。スカッと晴れた日にチェックインしたものならば、即風呂に行くのがお薦め。郷土色満載の朝食も変わりなく美味しかった。

　朝は、「純喫茶ツタヤ」へ。ライトレールが走る総曲輪の交差点の角にある店で、大きなガラス窓から眺める〝富山の日常〟がいい。アアル

Toyama, Eight Years Later

The first volume of this series, "d design travel TOYAMA Vol. 1", was completed in 2013. It's been eight years since then. So how has Toyama changed? Well, first of all, there's the Hokuriku Shinkansen train (launched in 2015). With trips as short as 2 hours 8 minutes, Toyama is now awfully convenient from the Kanto area. And with the influx of tourists and new residents, the prefecture as a whole has a new view on tourism. The same design traditions are still alive and well, of course, and they're giving rise to new trends while causing others to evolve. The Hokuriku area is experiencing a true "tourism revolution," further underscoring the impact of the new Shinkansen.

1. Toyama Area

The new Toyama Station building, completed in 2015, is an emerging venue for cultural exchange, with events like BOOK DAY Toyama Station drawing crowds.

Eight years ago, the Toyama Manten Hotel served as our home base. The rooms themselves are orthodox in their furnishing, but the views of Tateyama mountains (→p. 077)

トのハイスツールに腰かけ、戦後から変わらない喧騒の中で、オリジナルブレンドをいただく。長年続く店は、現在4代目。「五割一分」によるディレクションも素敵。お茶請けのスモークチーズも定番だそうで、意外にも珈琲に合う。早朝から営業している貴重な店。

2020年、総曲輪の中心部には、「SOGAWA BASE」が完成し、シャッター商店街に新たな憩いの場が生まれていた。富山市の「hazeru coffee」や、氷見市の「BREWMIN'」などが入り、フードコートとしても利用できるが、仕事の昼休みに利用する人も多く見られた。映画館「フォルツァ総曲輪」は、惜しくも、2016年に閉館してしまったが、その跡地には、同年に開業したシネマカフェ「ほとり座」の新館がオープン（2020年）。新旧2つの文化施設が融合し、再び賑わいを取り戻している。

そして、「古本ブックエンド」は、商店街のはずれにある古書店を引き継ぐ形で、「古本ブックエンド2」をオープン。さらに、2013年から年に一度、本を中心にしたイベント『BOOK DAY とやま』を開催し、全国からも多くの本好きが集まっている。そのイベントの影響もあり、県内には、多くの古書店が次々と生まれた。漫画家・堀道広さんのイラストの『BOOK MAP とやま』を開くと、いくつか古書店が紹介されている。射水市の郵便局の建物を利用した「ひらすま書房」や、滑川市の宿場回廊にある「古本いるふ」、南砺市の農村の納屋にできた「コメ書房」、などなど、個性派揃い。

「花水木通り」は、その名の通り、道路の両側にはハナミズキが植えられていて、あの熊倉桂三さん率いる「山田写真製版所」もある場所だ。桜橋電車通りとの交差点には、2020年にオープンした「COOKTOWN」。行き交うライトレールを眺めながら食事やお酒を楽しめる。料理も去ることながら、店主の人柄にみんなが虜。富山の人に愛される店。

通りを東に進むと、右手には鬱蒼とした蔦に覆われた「アンサンブルビル」。1階にカフェ&バー「ハナミズキノヘヤ」が入り、アパレルショップやライブハウスも同居する〝文化ビル〟。そこから少し進むと、左手には、人気の「キッチン花水木」。数名以上の予約営業だが、近隣に、お惣菜を販売する店もオープンするそう。そして、さらに進んで右手に「花水木ノ庭」。文具店「綴ル」や賃貸住宅に加え、不定期に開かれるイベントスペース。地元の建築家・沼俊之さんが

2020. This fusion of old and new is breathing life back into the neighborhood.

Meanwhile, Bookends Used Books has inherited the old bookstore at the end of the street and turned it into Bookends 2. The store sponsors the annual BOOK DAY Toyama event (started in 2013), which attracts book lovers from all over Japan.

At the corner of Hanamizuki Street—lined on both sides with the eponymous dogwood trees—and Train Street is COOKTOWN, opened in 2020, where you can enjoy food and drink as you watch light rail trains zoom by.

On the right side of the street as you head east is Hanamizuki no Niwa, home to stationery store Tsuzuru and rental apartments as well as an ad-hoc event space.

Culturally, Toyama can be roughly divided into two parts, Gosei in the west and Goto in the east. Mt. Kureha, known locally as Kurehayama, forms the border between the two. I putter around the roughly 100-meter-high hill on my trusty BRUNO bike. My first stop is Ohanabatake-gama, a pottery kiln built in 1978 by Hidetaka Takakuwa. In 2020, it teamed up with Hayashi Shop to produce artistic ceramic (→p. 079)

設計した場所で、さまざまな企画運営も、自らが行ない、通りに点在する魅力的な店どうし、もっと行き来しやすくなるように、まちの拠点として開放している。2020年には、富山市内の陶芸家・前沢陽彦さんの個展が開催されるなど、富山の新しい文化が生まれている。

富山県を大きく分けると、西側を「呉西」、東側を「呉東」。そして、その文化圏の境目になるのが「呉羽丘陵（富山の人は呉羽山と呼ぶ）」だ。実は、この呉羽山、日本そのものの文化圏をも分断しているともいわれている。お馴染みのカップ麺「マルちゃん赤いきつね」には、関西と関東それぞれスープの味つけが異なるが、実際、富山県にはその両方が売っている。石川県側から見た、呉羽山の外側を「外山」と呼び、それが富山という名前の発祥にもなったとか。

そんな標高100メートル弱の呉羽山を、愛(自転)車・BRUNOでポタリング。まず、最初に立ち寄ったのは、「お花畠窯」。1978年、陶芸家・高桑英隆さんが築窯。2020年には「林ショップ」とコラボレーションして、アート作品のような陶額を制作、グループ展を開催している。窯元にはギャラリーも併設しており、僕が購入したシノギの磁器は、空色の釉薬が美しく、郷土料理・昆布締めを盛り付けるのにぴったりだと思った。

from the outdoor bath can't be beat. Breakfast, too, was full of local flavor and as delicious as ever.

Tsutaya, a café located on a corner in Sogawa next to a light rail line, offers great views of "day-to-day Toyama" from its big front window. Take a seat on an Aalto bar stool and enjoy an original blend amid a bustling scene that hasn't changed in 70-odd years.

SOGAWA BASE, opened in 2020 in the heart of Sogawa, is a new place to kick back in an old shopping street. Sadly, the Forza Sogawa cinema closed in 2016, but the cinema café Hotoriza—which got its start that same year—opened a new location in Forza's old spot in

ARE-ARE

青い丘

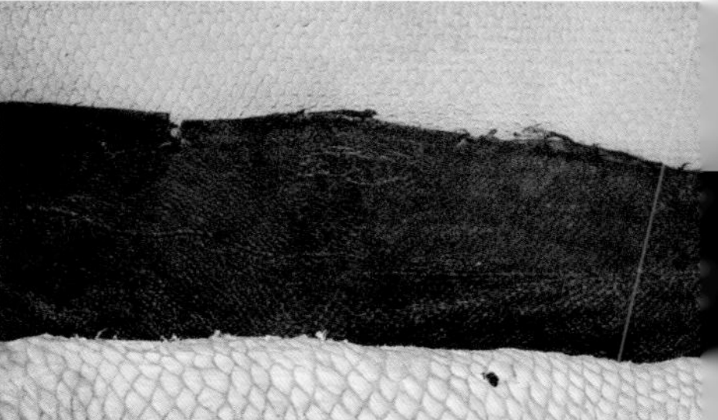

創業明治四三年
ガランドウ

その日は、真夏日だった。汗だくになりながらも、次に向かった先は、山頂にある「珈琲ランチケーキ青い丘」。自家製のベーコンやハンバーグは文句なしに美味しいけれど、それにも増して最高なのが、窓からの景色。富山の街と日本海が一望できる。来た道の疲れも一気に吹き飛ぶほど、清々しかった。

今の富山県に、何よりも増えたのが宿泊施設。中でも、まちを一つの宿と見立て、まちぐるみで客をもてなす「まちやど」が多い。まちの人と触れ合い、まちの商店で買い物をし、夕食はまち中で。これは、昔ながらの宿場町の形にも似ていて、その土地にある資源を使って、客を独占するのではなく、地域全体の価値を向上していく考えがある。そういう意識の高い人たちが増えたのも昨今。しかし、周辺に営業している飲食店が少なく、夕食に困る時も、正直あった。そんな時に、お薦めなのが、「黒崎屋」。田園風景に建つ、白い建物は、一見スーパーには見えない。それもそのはず、設計は、地元の建築家・中斉拓也氏で、グラフィックは、スタジオ「ROLE」・羽田純氏。こだわりが伝わってくるデザインだ。店内には、「メツゲライ・イケダ」のソーセージや、「土遊野」の牛乳、「キッチン花水木」のお惣菜、ブリや白エビなどの魚介類に地元農家の新鮮野菜……品揃えにも納得。旅先で行くスーパーは、地元らしさを知る上では、よく利用する。しかし、少しでも安く、ものが溢れる時代に、黒崎屋は「待った！」をかけているよう。暮らしを支えるスーパーだからこそ、自然に逆らうのではなく、「普通に良いものがある生活」を。そう、気づかせてくれる。

2 高岡・氷見エリア

スーパーといえば、高岡市にある「フレッシュ佐武」も忘れてはならない。我らが「d47食堂」と同じく、「良い食品づくりの会」の協力店会員。今でこそ、食品添加物や化学調味料が懸念される時代。体に良いものを常日頃から摂取するためには、いつでも購入できる店があってほしいもの。そんな夢のようなスーパーが、ここフレッシュ佐武。富山県だけでなく、日本全国の「良い食品」から、洗剤などの雑貨に至るまで、どれを取っても間違いない品揃え。来店するお客さんや働くスタッフの皆さんの楽しそうな笑顔からは、素敵な富山の暮らしが想像できる。これからはさらに、デザインの要素として、「健か

picture frames for a group exhibition. The kiln also features an attached gallery.

Next up is Aoi Oka, a cafe/restaurant at the top of the hill. The homemade bacon and Hamburg steaks are quite tasty, but what's even better is the panoramic view of the city and the Sea of Japan from the windows.

The last eight years have seen a proliferation of hotels in Toyama, especially machiyado, which aim to integrate their guests' stays into a whole-of-city experience. But I have to admit that sometimes, there just weren't enough places to eat nearby. For those times, there was Kurosakiya. At first glance, you'd never guess this white building in a rural setting is a supermarket. Little wonder, as it was designed by local architect Takuya Nakazai with graphics by Jun Haneda of Studio ROLE. Their imprint is unmistakable.

2. Takaoka/Himi Aera

Speaking of supermarkets, let's not forget Fresh Satake in Takaoka. These days, amid all the concerns about additives and artificial flavors, wouldn't it be nice to have a (→p. 081)

さ」や「安全性」は、必要不可欠になってくるだろう。

〝イケメン〟高岡大仏から西へ行った商店街の少し脇、「おでん百福」がある。2019年に閉店した創業80年以上の老舗おでん屋「福家」の味を引き継ぎ、ワインカフェのオーナーが、2020年2月22日（おでんの日）にリニューアル。変えるべきものと、変えてはならいものとが、うまく区別され、セイズファームのワインに、昆布入り焼酎という新旧富山ならではのメニューがいい。とろろ昆布をのせた豆腐や、巻き蒲鉾（かまぼこ）、バイ貝も美味しかった。

富山新港から東西約3キロを結ぶ運河・内川。その昔、北前船の中継地として栄えてきた町だ。川べりに民家が立ち並び、両岸に漁船が停まっている昔ながらの風景は、「日本のベニス」ともいわれ、今も午前1時頃になると、船は列になって海に出ていく。川のほぼ中間地点にある「BRIDGE BAR」は、16時オープン。夕日が沈む頃に何度か訪れ、エスプレッソベースのものなど、ノンアルコールカクテルを楽しんだ。他にも周辺には、「カフェ uchikawa 六角堂」や、広島風お好み焼き「富乃家」など、もともとある民家を改築した店舗が増え、新しい〝まちづく

by and greet me with a nod. Dinner is machiyado-style: either cook it yourself or eat at a local restaurant.

HOUSEHOLD in Himi is another machiyado. The renovated building was designed by Ryosuke Yuasa, who also did the Toyama Museum of Art and Design, while the logo mark is by graphic designer Takashi Takamori. It occupies the whole of what was once a fisherman's union and a kimono store, with the guest rooms on the 4th floor. The location is superb, with views of both Toyama Bay and Tateyama. The 1st floor is a café, the 2nd floor a gallery, and the 3rd floor a members-only vacation rental. There's lots to explore nearby as well, including the beer café BREWMIN'.

The Japanese amberjack is a local specialty renowned across Japan. But there's lots of other fresh fish to be had from Toyama Bay: snapper and sea perch, flounder and marlin. And lots of fresh local fish means lots of sushi and seafood restaurants. But it also means lots of fish skins get thrown out back…Tomohisa Noguchi of tototo turns these skins into products. I'd never heard of "fish leather" before, but apparently the Ainu and other ethnic groups (→p. 083)

り〟が働いている。コミッショナーに建築家・磯崎新氏を迎え、「まちのかお」プロジェクトの一環で生まれた、セザール・ポルテラ氏設計の「東橋」も見応えがある。その晩は、「水辺の民家ホテル」の、「カモメ」に泊まった。雪見和室からは、内川が眺められ、たまたま通りがかった船の漁師さんが、ぺこりと会釈していくのもなんだかノスタルジック。食事は、自炊か近隣の飲食店で、というまちやどスタイル。

氷見市の「HOUSEHOLD」もまちやど。改装設計は、富山県美術館にも携わった建築家・湯浅良介氏、サインは、グラフィックデザイナー・高森崇史氏。もとは網元、そして呉服店だったビルを丸ごと1棟使っていて、宿泊は、4階部分。目の前には富山湾が広がり、立山連峰も見える最高のロケーション。1階は喫茶、2階はギャラリー、3階は会員制の貸別荘。近くには、「Beer Cafe ブルーミン」などもあり、氷見の町を探索するのもいい。料理や文化に熱心なオーナー・笹倉慎也さん奈津美さん夫妻。宿泊した夜には、地元の人しか知らないような趣ある寿司店に、僕を案内してくれた。朝ごはんは、鯛のアラ汁など驚くほど美味しく、地元の食材を使うだけでなく、オーナー自身がそこにいて、どんな町でどんな人がいるのか、教えてくれる。ちなみに、夕食は自炊もお薦めで、オーナーと一緒に地元の鮮魚店へ買いつけに行くサービスも。2018年開業の、駆け出しの宿。これからが楽しみな場所だ。

氷見のブリは、もはや全国で周知されるほどの名産。ブリだけでなく、富山湾で水揚げされる魚は、鯛やスズキ、ヒラメやサス（カジキ）など、どれも新鮮な魚。逆を言えば、刺身にすると新鮮過ぎて旨み（熟成）が足りない。そのため、富山では、醤油を甘くしたり、あえて昆布締めにしたりもするんだとか。そんな地域性もあって、寿司店や海鮮ものの飲食店が多い。しかし、その裏側では、店から廃棄される大量の魚の皮の環境問題。「tototo」の野口朋寿さんは、その廃棄される魚の皮を利用して、プロダクトを作っている。〝フィッシュレザー〟と聞いて、まず、耳を疑った。そして、現物を見て、目も疑ったほどで、牛や羊や蛇、ワニぐらいまでは日常の生活でも見かけるが、魚の「革」は、初めて知った。昔はアイヌなど、魚の革を身に纏っていた民族もいたという。魚の独特の生臭さも無く、とてもユニークで、サステナブルな取り組みだ。僕ならどんなクラフトにしよう。

store where you always can buy things that are actually good for you? From now on, "healthy" and "safety" are going to be increasingly essential elements of design.

Tucked away on the shopping street as you head west from Takaoka Daibutsu is Momofuku. The successor in taste (and design) of the venerable Fukuya, which closed in February 2020 after over 80 years in business, it was bought and renovated by the owner of a wine shop, a true success story in an old-fashioned shopping street. The tofu topped with shredded konbu, fish sausage, and whelks were all marvelous.

The Uchikawa Canal runs east-west for about 3 km through Toyama New Port. The area once flourished as a stopover point for trading ships. The townhouses and fishing boats along the banks create a scene reminiscent of ages past, earning Uchikawa the nickname "Japan's Venice." There's a growing movement to renovate the old townhouses into shops, like the Uchikawa Rokkakudo Café and the Hiroshima-style okonomiyaki shop Tominoya. That night, I stayed in the "Kamome" at the Minka Riverside Villas. The Japanese-style room offers a view over the canal; it felt somehow nostalgic to see a fisherman pass

3 砺波・五箇山エリア

前回も少し触れたが、富山県には〝民藝〟が根づいている。柳宗悦は、「土徳」という言葉を残し、少なからずその影響によって育まれた風土は、今の富山らしさの基盤にもなっているようにも思える。砺波の散居村や、五箇山の合掌集落だけでなく、立山黒部アルペンルートや、急流河川の砂防にも富山ならではの美しさがある。自然を慈しみ、富山の人が作り出してきた、〝ロングライフデザイン〟。特にその色が濃く現れていたのが、呉西。僕は、「水と匠」の林口砂里さんに連れられ、南砺市「大福寺」へ。住職の太田浩史さんは、となみ民藝協会の会長でもあり、本誌面発行人のナガオカケンメイが、民藝への扉を開くきっかけになった重要人物。ぜひ、皆さんも太田住職を訪ねて、自分の中の〝民藝〟を紐いてみてほしい。寺の入り口にある「不二門」には、世界中から蒐集された民藝の品々が並ぶ。

そもそも富山県で、なぜ民藝がここまで親しまれているかというと、柳と親交の深かった板画家・棟方志功が、戦時中に南砺市・福光へ疎開したことが、きっかけではないかと考えられ

works, but of how he lived at the time. Pictures of buddhas and nymphs are everywhere: the walls, the screen doors, even the toilet. The closet doors are painted with red snappers in black rain; with eels, turtles, and catfish. It's got a kind of cute pop-art feel to it.

At the Nanto Fukumitsu Art Museum, you can learn about the "Three Mysteries of Munakata." On display are Munakata's iconic Two Bodhisattvas and Ten Great Disciples of Buddha as well as Hymn of Green Willows and Red Flowers.

After a day following in Munakata's footsteps, gonma is the place to go at night. This renovated warehouse, with food by master chef Yuko Nakagawa—who also does "design + local cuisine" catering—is like a little hideaway: a bit off the beaten path, but wonderfully free-wheeling. There's no better place to enjoy Johana beer on tap, accompanied by unique local dishes like chopped burdock in miso and malted cucumbers (reservations required).

4. Tateyama Area

Next door to the KAKI workshop is Awasuno Ski

(→p. 084)

ている。戦争で〝板画〟の材料が手に入らなかったため、五箇山にスケッチに行ったり、紙だけでなく、襖や壁、子どもの下駄、自身の彫刻刀にまで、絵を描いた。およそ6年間、福光で受けたインスピレーションは、次第に彼の作風を変え、民藝の同人たちを呼び寄せることになったという。

福光には、当時、棟方が家族と一緒に暮らしていたという住居「愛染苑」と、アトリエ「鯉雨画斎」が、ともに保存してあり、彼の作品に加え、当時の生活も垣間見れる。壁や襖だけでなく、トイレの天井にまで描かれた仏や天女。押し入れの扉には、赤い鯉に黒い雨、鰻に亀にナマズの絵。どこかポップで可愛くも見える。

「南砺市立福光美術館」には、代表作の「二菩薩釈迦十大弟子」のほか、12か月を豊かなデザインで表現した「柳緑花紅頌」などが展示され、『ムナカタ、3つの謎』として、棟方志功のことがわかる美術館。もちろん、棟方と最もゆかりのある「光徳寺」も忘れてはならない。

棟方の足跡を辿って、福光を旅した夜は、間違いなく「gonma」。「デザイン＋郷土料理」としてケータリングも行なう料理の名人・中川裕子さん。路地裏にある蔵を改築した隠れ家的店。

used to wear it as clothing. It's a unique, sustainable enterprise—and it doesn't even have that fishy smell.

3. Tonami/Gokayama Area

As I touched on last time, Toyama is steeped in mingei—traditional crafts. This is especially true in Gosei. Sari Hayashiguchi of Water and Artisans took me to Daifukuji Temple in Nanto, whose chief priest Hiroshi Ota—also the head of the Tonami Mingei Association—was a key figure in opening the door to mingei for d design travel publisher Kenmei Nagaoka. Really, everyone should visit Ota to unlock their inner mingei. The Funimon gate at the temple's entrance features a collection of mingei objects from around the world.

So why does Toyama have such a deep affinity for mingei? It's thought to have started when Shiko Munakata, a woodblock artist and close friend of Muneyoshi Yanagi, came to Fukumitsu, Nanto as an evacuee during the war.

In Fukumitsu, you can still see Aizen-en, the house where Munakata and his family lived, as well as the Riu Gallery, his former studio. They offer a glimpse not only of Munakata's

「城端麦酒」の生ビールは、ここで呑むに限る。おつまみは、ゴボウの「よごし」や胡瓜の麹和えなど、この土地ならではの家庭料理（要予約）。野球の木製バットが福光で名産なことや、おかきをこの地域では「柿山」と言うこと、冬に作る郷土料理「かぶらずし」のことなど、裕子さんとの会話は弾み、いつのまにか辺りは真っ暗。酔った帰りには、くれぐれも建物の外の小川に落ちないように。

4　立山エリア

立山山麓で、いつかスキーもしてみたい。「KAKI CABINET MAKER」のすぐ隣にある「あわすのスキー場」は、60年以上続く富山で2番目に古いスキー場だったが、暖冬や、新型コロナ感染症の影響で、２０２０年6月、閉鎖が決まった。だが、その翌月「あわすのスキー場の復活を支援する会」が立ち上がり、ゲレンデや機材の整備、クラウドファンディングなども利用して、スキー場は再開。多目的センター「ミレット」のリニューアルには、KAKIも協力。夏にも、遊歩道の散策、ゲレンデを野外イベント会場として、一般開放している。これからも富山の人にとって、家族で楽しい時間を過ごす、大切な場所であってほしい。

そんな富山のみんなが誇る立山連峰。晴れて山々の稜線がくっきりと見えた日には心も体も元気になる。〝病は気から〟とは本当で、売薬で発展した土地だとしても、自然の力には敵わない。そんな富山の製薬メーカー「前田薬品工業」などにより、２０２０年、立山町の田園風景の中に、ハーブを中心とした美と健康のヴィレッジ「Healthian-wood」が誕生。レストランやカフェ、施術所など、隈研吾氏設計の建築が点在している。アロマが旅の疲れを癒してくれた。

里山を有効活用しようと、一棟貸しの宿「埜の家」では、電動アシストマウンテンバイクを使ったツアーガイドも計画していて、これからが楽しみな立山町。ちなみ宿は、築１３０年の古民家で、北陸特有の建築様式「枠の内」を持っていて、大人数で泊まるのにお薦め。

5　黒部・宇奈月エリア

ホタルイカで有名な、滑川市。１９９８年に完成した「ほたるいかミュージアム」の建築も「まちのかお」プロジェクト。このまちも今、面

Area. Once Toyama's second-oldest ski area, it closed in June 2020 after 60 years due to warm winters and COVID-19. But a month later, an "Awasuno Ski Area Comeback Support Society" was formed to help take care of the slopes and equipment, and thanks to some crowdfunding, it's now open again. The Millet multipurpose center has been renovated with help from KAKI. The grounds are open to the public in summer as well, with outdoor event spaces and walking paths.

Nonoie, a 130-year-old traditional house built in the wakunouchi architectural style unique to Hokuriku, is a great place for larger groups to stay the night. It makes the most of its wooded surroundings with guided tours on electric mountain bikes.

5. Kurobe/Unazuki Area

The city of Namerikawa is famous for its firefly squid. These days, there's lots more to see and do there. The secondhand store Suihei, located in a former supermarket in the old inn district along the Hokuriku Road, has been renovated into an enchanting, almost gallery-like space. On display are such rare items as medicine bottles, labels, and measuring spoons from the 1920s.

名水黒部川
ORIGINAL TASTE
Unazuki BEER
宇奈月麦酒
うなづきびーる
宇奈月産麦使用

白い。旧宿場町の北陸街道沿いにある、古道具「スキヘイ」は、もともと小さなスーパー物件を、センスよく改築していて、まるでギャラリーのよう。店主の光広由香さんのセレクトは、生活道具だけでなく、実験道具や薬品関連のものもあるのが、その土地らしい。昭和初期の薬瓶や薬の包装紙、丸剤計量匙なんて珍しいものも。仕入れエリアも富山だけでなく、石川から京都までと、実は幅広く、それも北陸ならではの立地だから。ロングライフデザインの宝庫。

店の向かい側は、「古本いるふ」。『BOOK DAYとやま』の実行委員長も務める天野陽史さんの店。そこでは、郷土本の種類も豊富で、棟方志功をはじめとした民藝関連の本など、旅人も時間を忘れて長居してしまう。

他にも国の登録有形文化財の「旧宮崎酒造」は、ドネーション式で自由に見学もできるが、海側に繋がる回廊奥、2階部分にはカレー店「アガーリcurry」が入っていたり、各地域で古いまち並みを再活用しようという取り組みが行なわれている。

黒部市もまた、新しいまちづくりがある。ファスナー事業だけでなく、窓やドアなどの建材メーカーでも知られる「YKKグループ」。黒部ならではの水と緑、季節風「あいの風」を活かしたサステナブルな暮らし「パッシブタウン」(p.122)が魅力的。黒部駅周辺の活性化をもたらすプロジェクトなど、これからの発展が楽しみなまちづくりで、全国の〝オフグリッドライフ〟の手本とも言える。

3000メートル級の北アルプスの「名水」を使って、10時間かけて抽出した水出し珈琲が人気の「水の時計」。珈琲そのものの味や香りを楽しむのもいいが、「資源」をしっかりと味わう時間は、ここならでは。

「黒部市美術館」と「セレネ美術館」で同時開催していた『やっほー!山』展。市制施行15周年、黒部峡谷鉄道創立50周年を記念したもので、それぞれの収蔵作品から、山に魅了された作家たちを紹介。黒部市美術館では、山の版画家として知られ、山の文芸誌『アルプ』などにも携わった畦地梅太郎の版画作品など、セレネ美術館では、平山郁夫をはじめとする7名の画家による新作などを展示。併せて観て、改めて立山連峰の魅力に気づかされた。

宇奈月温泉では、「延楽」に宿泊。屋号『延楽』の書をしたためた日本画家・川合玉堂の作品、また、ホテイのやきとり缶でお馴染みの漫

The Kurobe City Art Museum and the Selene Art Museum were holding a joint “Yahoo! Yama” exhibition to commemorate Kurobe's 15 years as a city and 50 years since the opening of the Kurobe Gorge Railway, featuring selected works from artists who were captivated by the mountains. Kurobe City's contribution included woodblock prints by noted mountain woodblock artist Umetaro Azechi, who also worked on the mountain literary magazine Alp, while Selene contributed new works from Ikuo Hirayama and six other painters. The collection of works gave me a new appreciation for the charm of Tateyama.

I stayed at Enraku at the Unazuki Onsen, a venerable hot springs inn with illustrations from comic artist and designer Hiroshi Oba, known for his work on Hotei-brand yakitori cans. Worth highlighting is the Hananoyu outdoor bath. With tubs made from 400-year-old cypress wood, the space is set up almost as a picture frame for the epic views it offers of Kurobe Gorge.

On this trip, I finally realized my dream of walking along the entire ridge of the Tateyama range. Next time, I'd like to stay at the Kumonodaira Mountain Hut—which also has an artist in residence program—to get the full Tateyama experience.

画家でありデザイナーのおおば比呂司のイラストが残る、老舗温泉旅館。中でも特筆すべきが露天風呂「華の湯」。樹齢400年の檜を使い、"額縁"に見立てた空間からは、まさに絵画のような雄大な黒部峡谷の絶景。温泉に浸かり、浴衣を着て、これでもかというくらいの数々の料理をいただき、のんびりと過ごす普遍的おもてなしも、日本ならではだろう。宇奈月温泉という富山県屈指の温泉街で続いてきた伝統を、バランスよくデザイン性を残しながら、次世代へ繋いでいく役割を"担える"宿。

宇奈月温泉駅から、いざ黒部ダムへ！と、意気込んでトロッコ列車に乗ったものの、黒部峡谷の欅平駅より先のルートは、通常、一般人は通れない（『vol.1』で書いとけ！）。だが、黒部川第四発電所の建設などに伴い、工事用ルートとして整備した通称「黒部ルート」が、2024年から一般公開される。急峻な地形のため、鉄道を延ばせず、山の中腹を垂直に貫いた巨大な「竪坑エレベーター」。機材を輸送するために建設された斜面鉄道「インクライン」。富山県民にとっても、待望の回遊新ルート。せっかくなら、水戸岡鋭治氏デザインの観光列車「アルプスエキスプレス」と併せて楽しみたい。そして、次回は、アーティスト・イン・レジデンスも行なっている「雲ノ平山荘」での滞在も忘れずに。

Across the street from Suihei is Furuhon Iruf, run by Yoji Amano, who is also executive committee chair for Book Day Toyama. It offers a wide selection of books by local writers as well as mingei-related books on Shiko Munakata and others.

Mizunotokei is a popular spot for cold-brewed coffee, brewed for 10 hours using spring water from renowned sources in the 3000-meter plus Northern Alps. The taste and aroma are fine enough, but it's the chance to really savor the natural ingredients that make this coffee one of a kind. The cold-brewed coffee bottles, a rarity in Japan, make great souvenirs.

富山県のロングライフデザインを探して

タカタレムノスの「RIKI CLOCK」

進藤仁美

Looking for Long-Lasting Design in TOYAMA

TAKATA Lemnos' "Riki Clock"

By Hitomi Shindo

RIKI CLOCK
(直径 20.3 × 奥行 4.5cm)
☎0766-24-5731（タカタレムノス）
lemnos.jp

鋳物の町・高岡で、長く仏具を手がけてきた「高田製作所」。今から50年ほど前、その技術力を高く評価した現在の「セイコークロック」が、時計枠の製造を依頼。仕事を通して得た時計づくりのノウハウをもとに、1984年、自社製品を開発する「タカタレムノス」が誕生。そして、2003年、日本を代表するプロダクトデザイナー・渡辺力（故）によりデザインされた「RIKI CLOCK」。「時計のデザインは、文字盤に使う書体を見つけた時点で8割終わっている」と渡辺氏は言ったように、書体「CBS DIDOT」は、力強さと優雅さを兼ね備え、どの数字のバランスもよい。フレームは、タンバリンの枠と同じプライウッド。工場を訪れると、ひとつの時計のサイズに対して、2、3種の文字盤・ガラス板が用意されていた。プライウッドは、素材が木であるため微妙に伸縮する。時計は、1ミリの誤差も許されないので、木枠に合わせるために、時には、文字盤・ガラス板を枠に合わせて削ることもある。この時計は、渡辺氏が92歳の時にデザインした。ライフワークとして生涯時計をデザインし続けてきた深い経験値に加え、年齢を重ねた自身を含め、誰にとっても、どんな場所でも見やすく、アクセントになる時計だ。

Takata Seisakusho has been producing Buddhist ritual implements for a long period in Takaoka, the town of foundries. About 50 years ago, the current Seiko Clock requested them to manufacture clock frames. In 1984, "TAKATA Lemnos" was established to develop their own products based on the know-how of clock-working gained through work. Japan's leading product designer, Riki Watanabe (deceased) then designed the "Riki Clock" in 2003. In his words, "the clock's design is 80% finished when we find the typeface to be used on the dial"; the CBS DIDOT typeface is the perfect combination of strength and elegance, with well-balanced numbers. The frame uses the same plywood as that of tambourines. When I visited the factory, 2 or 3 types of dials and glass plates were prepared for each size of the clock. Since even a 1-mm error will not do in clocks, the dial and glass plate are sometimes shaved to fit the plywood frame that expands and contracts slightly. Watanabe designed this clock when he was 92 years old. This is a clock that not only encompasses his rich experience of designing them in his lifework, but it also serves as an expressive accessory that is easy for anyone to see anywhere.

とやまもの

日本のものづくりには、長く続いていくものや、衰退してなくなってしまうものだけでなく、住民や行政の応援で復活するものや、移住者や若者の新たな視点でつくられる“新名物”もある。そんな富山県の風土と土地があるからこそ、必然で生まれたものたちを、本誌編集部が、デザインの視点で再定義する、“富山県らしい”ものづくり。

A Selection of Unique Local Products

The Products of TOYAMA

Among traditional Japanese products, some have stayed around since eras long past, while others have become lost over time. Our Editorial Department aims to identify, and redefine from a design standpoint, the various Toyama-esque products that were born inevitably from the climate, culture and traditions of Toyama Prefecture.

ホタルイカの沖漬け
Soy sauce-pickled firefly squid

富山湾名産のホタルイカを使った定番保存食でもあり、郷土料理。

たら汁
Pollock soup

朝日町で獲れるスケトウダラの身を骨ごと使ったシンプルな漁師料理。

ヒスイ
Jadeite

日本海でも朝日町にある海岸で、冬になると打ち上げられるヒスイ。

入善ジャンボ西瓜
Nyuzen jumbo watermelons

湧水の豊富な黒部川扇状地で育まれた、ラグビーボールのような西瓜。

バタバタ茶
Bata-bata tea

説法に伴う茶に利用したと考えられ、茶筅を振る動作が、慌ただしい。

水だんご
Mizudango rice cakes

富山県産コシヒカリの米粉に、美味しい北アルプスの水などが原料。

組子細工
Kumiko woodworking

日本一持ち家率が高い富山ならではの、欄間などの住宅の装飾品。

テラクリエ
Terracrea

砂防やダムなどで使われるセメントから発展した、ニュープロダクト。

アロマオイル
Aromatic oil

製薬会社による、立山のひのきや、自社農園のラベンダーのオイル。

立山かんじき
Tateyama snowshoes

厳しい風雪に耐えながら育った良質の材料を使ったかんじき。

越中瀬戸焼
Etchu Seto ware

立山の土で、多彩な釉薬と大胆な施釉が特徴。スティーブ・ジョブズも愛用。

かんもち
Kanmochi rice cakes

海沿いの湿った風に影響を受けない山間部の農村で受け継がれる保存用の餅。

鱒寿司
Trout sushi

神通川に遡上してきたサクラマスを使用した、富山県ならではの押し寿司。

Illustration : Kifumi Tsujii

昆布締め
Konbu press

北前船で届いた昆布を使った、魚の
調理法。旨味が刺身に移り、保存も効く。

麦芽あめ
Malted candy

富山の主要産業であった丸薬づくりに、
薬の苦みを少なくするために利用。

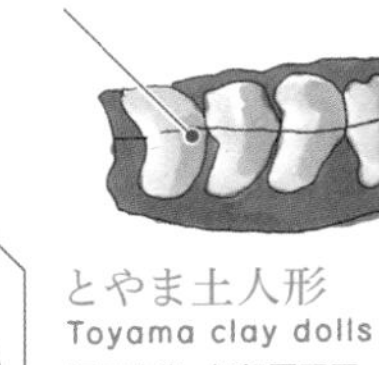

高岡漆器
Takaoka lacquerware

2代加賀藩主が、高岡の町を開いた際、
武具や箪笥など生活品を作らせ発展。

こんかいわし
Rice bran-pickled sardines

氷見で獲れたいわしを、糠漬けして
一年以上熟成させた発酵食品。

とやま土人形
Toyama clay dolls

江戸末期、加賀百万石・前田家の経済
政策の一つとして始まった土人形。

フィッシュレザー
Fish leather

富山湾で水揚げされた魚の廃棄される
皮をなめして作るプロダクト。

細工かまぼこ
Fish sausage in special shapes

祝い膳料理の一つで、その福をご近所へ
「お裾分け」するのも富山の文化。

氷見うどん
Himi udon noodles

能登から伝わった手延べ麺。気候に
合わせた職人の"ちょうどいい加減"が特徴。

富山木象嵌
Toyama marquetry

異種の木をはめ込んで、その色の違い
から絵を浮かび上がらせる伝統工芸。

高岡銅器
Takaoka copperware

2代加賀藩主が、高岡の城下町に産業を
興すため、鋳物師を呼び寄せ発展。

越中福岡の菅笠
Etchu-fukuoka sedge hats

湿地帯で良質な菅が収穫できた福岡
地域で作られてきた農作業用の笠。

井波彫刻
Inami woodcarving

焼失した井波瑞泉寺の再建の際、京都
から派遣された彫刻師により伝わる。

かぶらずし
Turnip sushi

能登半島を除く、旧加賀藩の富山県
西部で伝わる、大かぶとブリの熟鮓。

木製バット
Wooden baseball bats

冬の湿度が高く、製造に適している
福光は、全国への流通も◎。

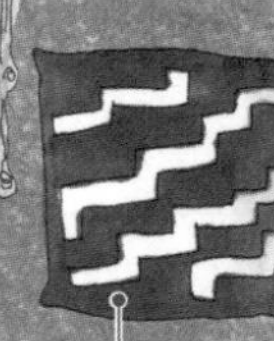

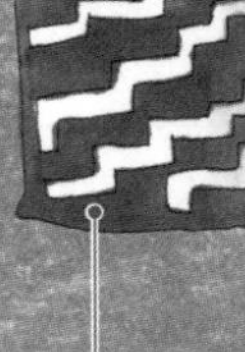

城端絹
Johana silk

五箇山地域の生糸をタテ糸に、福光の
玉糸をヨコ糸に使用した「しけ絹」。

庄川挽物木地
Shogawa wood turning

トチやケヤキなどを使用し、椀や皿
など、横木による美しい木目が特徴。

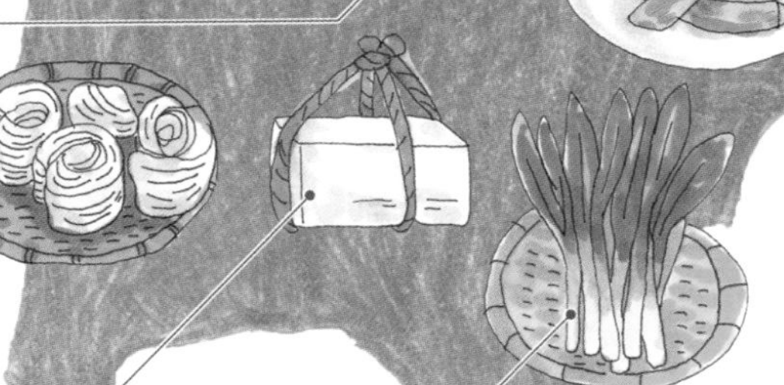

富山の売薬
Toyama medicine

立山信仰を司る修験者と、商人の活動
から発展したとされる「医薬品販売業」。

大門素麺
Ookado somen noodles

庄川の水を使い、鉢伏山から吹き下ろす
寒風にさらして作る、丸まげ素麺。

越中和紙
Etchu washi paper

八尾和紙は、主に薬用として、五箇山和紙は、
加賀藩で使用する紙として生産。

五箇山豆腐
Gokayama tofu

五箇山の澄んだ水と産地の大豆を
使用した、昔ながらの硬い豆腐。

行者にんにく
Gyoja garlic

高冷地に育つ山菜であることから、
南砺市利賀村で栽培されるように。

柿山
Kakiyama rice crackers

米どころ北陸のおかきは、柿山と呼ぶ。
「ロングサラダ」が美味しい。

富山県の〝民藝〟

心偈「南無阿弥陀仏 イトシヅカ」

高木崇雄(工藝 風向)

Mingei (Arts and Crafts) of TOYAMA

Poems from the Heart: Namu Amida Butsu Itoshizuka

By Takao Takaki (Foucault)

高木 崇雄 「工藝風向」店主。高知生れ、福岡育ち。京都大学経済学部卒業。2004年「工藝風向」設立。九州大学大学院・芸術工学府博士課程単位取得退学。専門は柳宗悦と民藝運動を中心とした日本近代工芸史。日本民藝協会常任理事・『民藝』編集長。著書に『わかりやすい民藝』(D&DEPARTMENT PROJECT)、共著に『工芸批評』(新潮社 青花の会)など。

Takao Takaki Owner of "Foucault". Born in Kochi and raised in Fukuoka. Graduated from Faculty of Economics, Kyoto University. Established "Foucault" in 2004. Conducted research on history of modern technical art with Muneyoshi Yanagi and folk art movement as the subjects. Completed the PhD program in Graduate School of Design, Kyushu University. Secretariat of Fukuoka Mingei Kyokai. The permanent director of Japan Mingei Kyokai. Editorial board member of Shinchosha "Seika no Kai."

訪ねるたびに富山は不思議な土地だな、と思う。浄土真宗の信仰深い土地柄ゆえか、富山にはどこか抜けの良い明るさがある。富山で出会った人々、また「富山県の〝民藝〟」としてぱっと浮かんでくる人々やものの名を挙げてみても、やはりその印象は変わらない。

例えば、南砺・大福寺住職にして「土徳」をキーワードに民藝の新たな役割を探る「となみ民藝協会」会長の太田浩史さん。音楽・デザイン・アート・工藝・南無阿弥陀仏、全ての領域を軽々と超えて互いを結んでゆく「水と匠」プロデューサーの林口砂里さん。柳宗悦、そして芹沢銈介との出会いを通じて始まり、常に新たな八尾和紙を生み出し続ける「桂樹舎」の仕事。前・「富山民藝協会」会長にして、自ら仕留めた獲物を民藝の器で提供するジビエ料理店「きくち」を営む、菊地龍勝さん。菊地さんが長年営んできた工芸店の場を引き継ぎ、軽やかなセレクトで民藝の幅を広げる「林ショップ」の林悠介さん、などなど。

また、富山における民藝運動との関わりについて振り返れば、木工家にして建築家、「富山民藝協会」を設立し、「富山市民芸館」初代館長でもあった安川慶一、そして、疎開のため福光に6年間滞在し、浄土真宗が生きる地に暮らす人々と交わることで、作品を深化させた棟方志功の名が当然挙げられるだろう。安川の仕事については近年、林口さんやD&DEPARTMENT TOYAMAによって改めて紹介されているし、棟方の作品は今も、福光美術館分館「愛染苑」や、棟方一家が暮らしていた住居「鯉雨画斎」に行けば見ることができる。また何よりも、棟方を福光に迎え入れた高坂貫昭が住職を務めていた〝民藝のお寺〟「光徳寺」に行けば、今も襖絵『華厳松』をはじめとする棟方作品、そして高坂によって集められ、寺域に伽藍をなす品々に会うことができる。むろん、柳宗悦がかつて滞在し、親鸞の著作を木版印刷した鮮やかな書籍『色紙和讃』に出会った南砺「城端別院善徳寺」と、この出会いを契機に柳が著した一冊『美の法門』は、富山県のみならず、民藝を語る上で忘れてはならないものだ。

これらの人々、そして品々はみな、民藝とはこうでなくてはならない、といった凝り固まり、主義主張から解き放たれ、静かに、軽やかに、自身の日々の勤めを果たしている。そんなフットワークの軽さと明るさ、つまり自

There's Hiroshi Ota, head of the Tonami *Mingei* Association, which seeks to find new roles for *mingei*. And Sari Hayashiguchi, producer of Water and Artisans, which effortlessly links the fields of music, design, arts, crafts, and spirituality. There's Keijusha, which is still producing new Yatsuo washi paper creations. And Ryusho Kikuchi, owner of an eponymous restaurant where he serves up wild game in artisanal dishes. And Yusuke Hayashi, who turned Kikuchi's old crafts store into the Hayashi Shop, broadening the horizons of *mingei* with its casual selection.

Two essential names in Toyama *mingei* are Keiichi Yasukawa, woodworker and architect, founder of the Toyama *Mingei* Association, and first curator of the Toyama Folkcraft Museum; and Shiko Munakata, whose works were enriched by the six years he spent as an evacuee in Fukumitsu. Yasukawa's work has received new attention in recent years through Ms. Hayashiguchi as well as D&DEPARTMENT TOYAMA, and Munakata's works can still be seen at the Fukumitsu Museum and the Riu Gallery, the Munakata family's former home. At Kotoku-ji, the "temple of *mingei*" whose chief (→p. 095)

narrow "self." In other words, what we need to get away from is our "selves." The freedom created when we are released from our "selves" manifests as beautiful people and things. And thus *mingei* is born and grows.

Beautiful things invite faith. Faith means leaving the self behind. It is only in leaving the self behind that the self can truly be put to use.

We don't use the tools and people around us for our own petty desires; we move ourselves on their behalf. We cook food on behalf of each plate, pour drinks on behalf of each cup. We extend our hands to those we meet out of an innate desire to help them. That's the limit of what our "selves" can do. But if it's these little things in our daily lives that shape our "selves," they surely lead to a life of greater freedom. As long as we have friends, people with whom we can share the pace of our lives, therein lies freedom. Freedom, and spirituality and long-life design, and yes, *mingei*.

由さについて、柳はこう書いている。

美しさとは畢竟「自由の美しさ」だということが判る。無碍の域に達した表現で美しいのである。だからイズムの芸術というようなものは案外生命が短い。イズムに囚われて不自由さに落ちてしまうからである。芸術では創造を尊ぶが、創造とは不自由を打破することである。*1

民藝は「イズム」つまり「こうでなくては美しくならない」という呪いをかけるものではない。ただ、それはまた「自由でなくてはならない」ということでもない。それもまた呪いにすぎない。柳がいう「自由」とは、「〝自分〟という狭い領域にとっての自由・不自由」から離れた「自由」なのだ。つまり、離れるべきは「自分」だ。「自分」から解き放たれたところに生まれる自由が「美しいもの・人」という姿をとって、ほら、ここにある、そこにもいる、という悦びに繋がり、民藝は広がってきた。

美しいものは信心を誘う。信心とは、吾を離れる事である。吾を離れて、はじめて吾が本当に活かされるのである。*2

ただもちろん「自分を離れる」といってもそれは、命を捨てる、死ぬなどということのはずもない。命というのも結局は、自分のものではない、与えられたものにすぎないのだから。むしろ「自分を離れる」とは、「誰かに尽くす」ということだ。道具や隣人を小さな自分の欲望のために使役するのではなくて、人や道具のために、自分の側を軽く動かしてみる。出会えた一枚の皿のために料理を作り、一つのコップのために飲み物を用意する。目の前にいる人を助けたくて、つい手を差し出したりもする。「自分」ができるのはせいぜいその程度のことでしかない。ただ、その小さな日々の積み重ねで暮らしというもの、「自分のかたち」ができてくるならば、それはきっと「自由な」暮らしへと繋がっていく。自分がどう見られてるかなんか、考える必要はない。暮らしの歩調を揃えることのできるもの、友がいれば、そこに自由がある、南無阿弥陀仏がある、ロングライフデザインがある、そして、〝民藝〟があるはずだ。

*1 『宗教的自由』柳宗悦全集19巻 p.220
*2 『美感と信心』柳宗悦全集18巻 p.459

priest Kansho Takasaka took Munakata in, you can still see Munakata works like the painted screen Kegonkyo. And no discussion of *mingei*—in Toyama or anywhere—is complete without mentioning Zentoku-ji in Nanto, where Muneyoshi Yanagi encountered Shikishi Wasan and its vivid woodblock prints of Shinran's writings, and Bi no Homon, Yanagi's own work inspired by that encounter.

These people and their works break free of dogmatic ideas about what *mingei* should be. They play their day-to-day roles quietly, without self-importance. Yanagi writes:

We know that beauty is, after all, the beauty of freedom. Art is beautiful when its expression reaches the realm of the unfettered. That is why "isms" in art have relatively short lives. They bind themselves and lose their freedom. In art, creativity is prized, and creativity means destroying that which is unfree.

For *mingei*, "isms"—set ideas about what makes something beautiful—are a curse. But that doesn't mean *mingei* has to be free, either. The "freedom" Yanagi writes about is a freedom apart from notions of free and unfree rooted in the

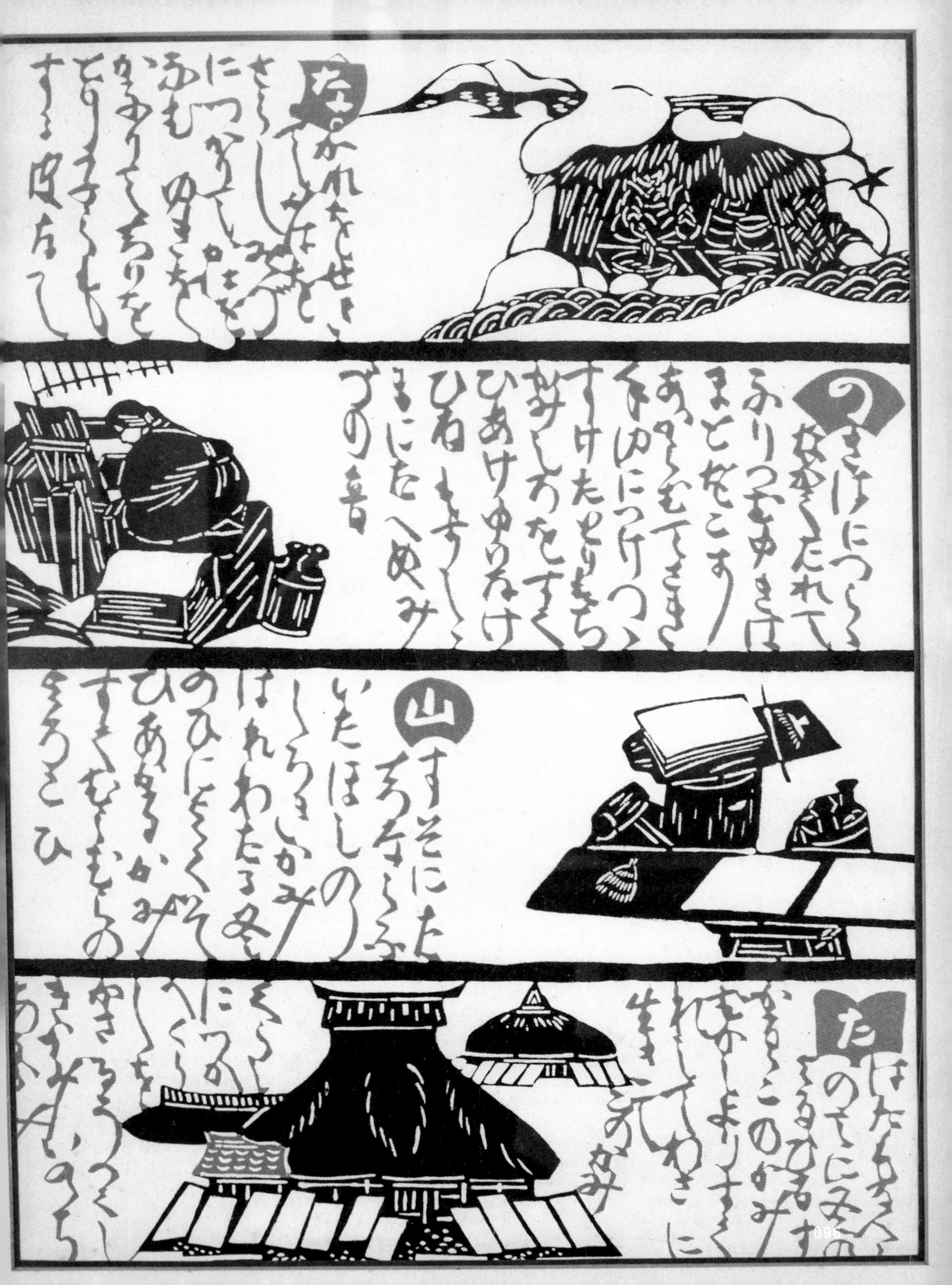

MUSIC FROM D!

FANTASIZED BY ORAVO

@musicfromd

富山のマチナカの住民による住民のための音楽ラジオ
ミュージックフロムディー！

ToyamaCityFM 77.7MHz

毎週土曜 18時～、24時～、
毎週日曜 5時～、絶賛オンエア中！

[We are MFD]
・オレンジ・ヴォイス・ファクトリー
・CIBO
・DOBU6
・レイバーアンドワボラトリー
・パドルアンドチャート

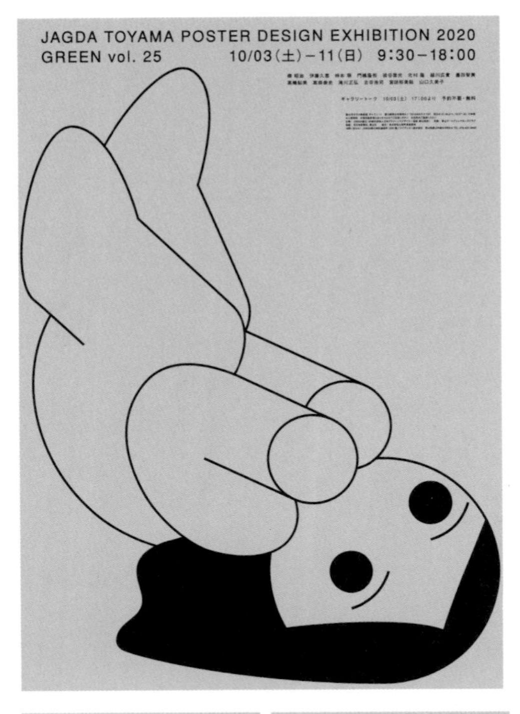
JAGDA TOYAMA POSTER DESIGN EXHIBITION 2020
GREEN vol. 25
10/03(土)–11(日) 9:30–18:00

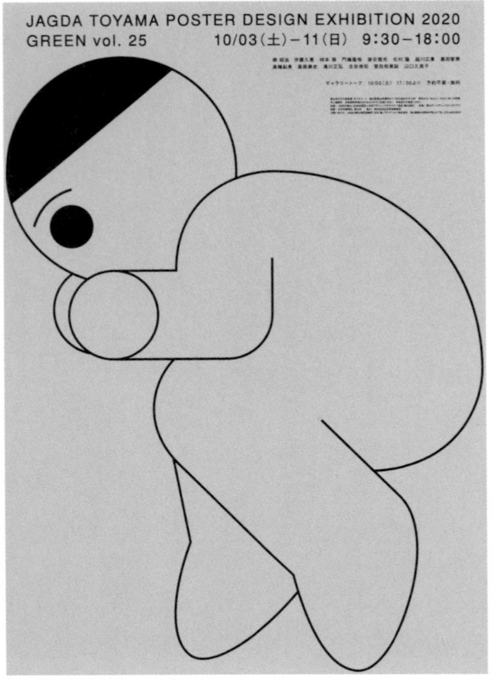
JAGDA TOYAMA POSTER DESIGN EXHIBITION 2020
GREEN vol. 25
10/03(土)–11(日) 9:30–18:00

JAGDA TOYAMA POSTER DESIGN EXHIBITION 2020
GREEN vol. 25
10/03(土)–11(日) 9:30–18:00

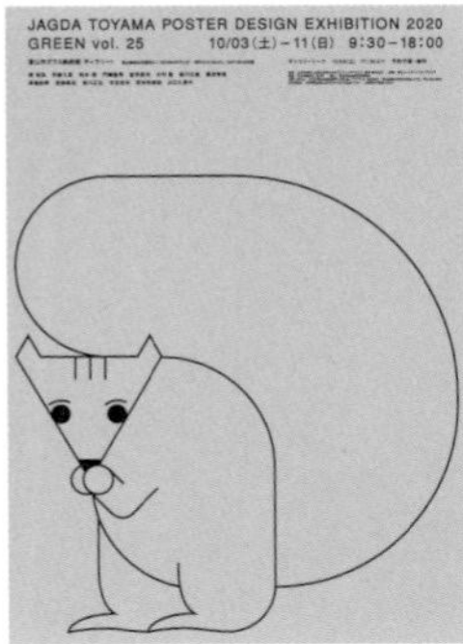
JAGDA TOYAMA POSTER DESIGN EXHIBITION 2020
GREEN vol. 25
10/03(土)–11(日) 9:30–18:00

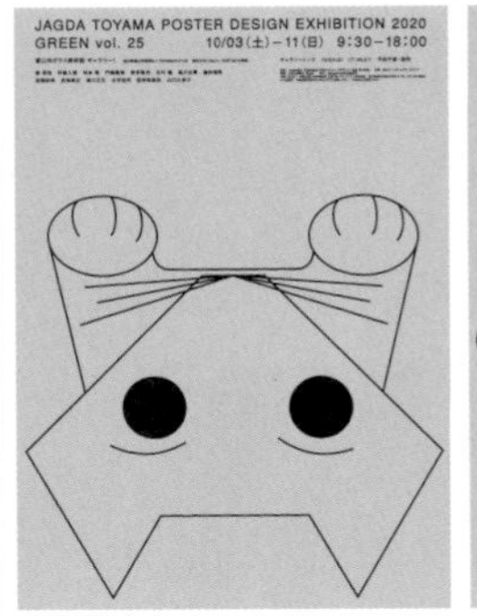
JAGDA TOYAMA POSTER DESIGN EXHIBITION 2020
GREEN vol. 25
10/03(土)–11(日) 9:30–18:00

JAGDA TOYAMA POSTER DESIGN EXHIBITION 2020
GREEN vol. 25
10/03(土)–11(日) 9:30–18:00

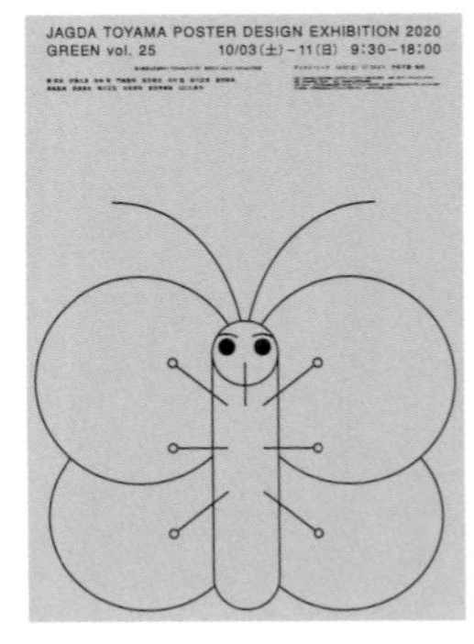
JAGDA TOYAMA POSTER DESIGN EXHIBITION 2020
GREEN vol. 25
10/03(土)–11(日) 9:30–18:00

JAGDA TOYAMA POSTER DESIGN EXHIBITION 2020
GREEN vol. 25
10/03(土)–11(日) 9:30–18:00

JAGDA TOYAMA POSTER DESIGN EXHIBITION 2020
GREEN vol. 25
10/03(土)–11(日) 9:30–18:00

JAGDA TOYAMA POSTER DESIGN EXHIBITION 2020
GREEN vol. 25
10/03(土)–11(日) 9:30–18:00

柿本 萌　1993年大阪生まれ、富山在住。2017年ストライド入社。東京ADC 2019ノミネート、JAGDA 2020・2021入選、東京TDC 2018・2019入選、世界ポスタートリエンナーレトヤマ 2018・2021入選、富山ADC 2021グランプリ。

Moe Kakimoto　Moe Kakimoto was born in Osaka in 1993 and currently lives in Toyama. She joined STRIDE in 2017. Kakimoto was nominated for an award at the ADC Awards 2019, and her work was selected at JAGDA 2020 and 2021, the Tokyo TDC Annual Awards 2018 and 2019, and the International Poster Triennial in Toyama 2018 and 2021. She won the first prize in Toyama ADC 2021.

富山県のものづくりの話を聞く

「伝統産業」とは何か？

神藤秀人

Stories of Toyama Craftsmanship

What Is a "Traditional Industry"?

By Hideto Shindo

世界に誇る産業遺産

編集部では、二度目となる立山縦走。「アルペンルート」が誘う、富山一の観光地とはいえ、実は結構険しい登山道。そんな立山連峰には、火山活動と侵食による「立山カルデラ」という大きな窪地（くぼち）がある。また富山県は、世界有数の雨や雪の多い地域で、急勾配の山肌に沿って、いくつもの川が流れ、恵みの水を富山平野に運んでいる。県民の暮らしや産業は、これら豊かな水で支えられていると言えるだろう。一方、カルデラ内のもろい山肌は、今も崩れ続けているという。日本一の暴れ川ともいわれた「常願寺川」は、地震や豪雨が発生すると、カルデラから流れ出た大小の石で、これまで多くの命を奪ってきた。災害が少なく、住みやすいとされてきた富山県は、実は、脈々と続く、自然との戦いがあったからこそ、成り立っているのだ。

その主力が、富山県が世界に誇る産業・「砂防（海外でも『SABO』で通用する）」——コンクリートやセメント、鋼材を使い、ダムや堤防などを造って、土砂災害を防止する手段、あるいはその事業のこと。今でも多くの暮らしを守り続けるために、たくさんの工事関係者がカルデラに向かうが、これまでの功績や技術の進歩もあって、当時と比べたらだいぶ需要は減ってきた。

逆を言えば、これからの時代、それらの技術を「現代の暮らし」に活かしていくチャンスでもある。1954年創業の「鳥居セメント工業」は、「テラゾタイル」を主にコンクリート製タイルの企画や製造、保守を長年行なってきた。テラゾタイルとは、コンクリート製の人造大理石で、主に屋内の床材に使用され、東京の森美術館やアーティゾン美術館、三越日本橋本店や新宿駅などでの施工が挙げられる。そして、今、アートスペース「VEGA」代表の貫場幸英（ぬきばゆきひで）さんをプロデューサーに迎え、新しいブランドを誕生させた。カトラリーステイやプレートをはじめ、花器やオブジェ、棚などの家具に至るまで、暮らしの中で使うセメント製品「テラクリエ」だ。また、セメント製品に組み込まれる、鉄筋加工技術に光を当てたオリジナルプロダクト「トスティーカ」。立山町の「Healthian-wood」のためコート掛けや傘立てをデザインし、「KAKI CABINET MAKER」とはスツールなどを提案している。コンクリートならではの、流動性に着目した、富山ならではの産業の革新とも言える。

A World-Renowned Industrial Heritage

Toyama is home to a world-renowned industry: sabo, in which concrete, cement, and steel are used to build landslide-preventing dams and levees. Even today, many construction workers still head to the calderas to protect the lives of thousands below, but thanks to their good work and advances in technology, demand for their services is not what it once was.

And yet now may be their chance to put those techniques to use in improving people's lives for a new era. Torii Cement has been designing, producing, and preserving concrete tiles for decades. Its specialty is terrazzo, an artificial marble made of concrete that's mainly used for indoor flooring, such as in Tokyo's Mori Art Museum, Mitsukoshi's flagship store, and Shinjuku Station. Now, the company has tapped Yukihide Nukiba of the art space VEGA to produce a new brand, Terracrea, featuring everyday items like tableware, vases, sculptures, and even shelves and other furniture made of cement. There's also Tosteeka, a line of original products showcasing the reinforcing iron techniques used in cement. They've designed coat hangers and umbrella stands (→p. 103)

富山のガラス

富山市が、約30年にわたって進めてきた〝ガラスの街〟。そもそも富山はガラスなの?という疑問が浮かぶが、その背景には、富山売薬の歴史があるという。今でもレトロで可愛いパッケージに包まれた薬は、富山のお土産にも喜ばれているが、どちらかというと、現在のグラフィックデザインの創出に繋がっている。そして、〝薬瓶〟もまた、製薬には欠かせない道具として、富山の産業の一つであった……という説もあるそうだが、要は、ガラスを通じた〝まちづくり〟の一環なのだ。1991年に「富山ガラス造形研究所」が開校し、1994年に「富山ガラス工房」が開設。ガラス作りには、多くの燃料が必要で、個人作家としてやっていくには、設備投資だけでも一苦労だというから、これらの施設は、全国からも重宝されてきた。そして、その集大成として、2015年に「富山市ガラス美術館」が完成。

木下宝さんもまた、そのガラス工房勤務を経て、独立したガラス作家。「Simpleglass.」とブランドを掲げ、薄く繊細で、シンプルなガラスの作品を作り続けてきた。彼女が面白いのは、

Toyama's natural heritage, like Kureha pears and spicebush trimmings from Toga village. Say what you will about "Glass Town Toyama," but it has given rise to some beautiful craftsmanship.

Rough Hewn, but Skilled
Young Artisans in a Traditional Industry City

You won't find a group in Japan that's harder-working, more friendly, and more tightly knit than the Takaoka Traditional Industry Young Person's Association, or "Densan." The head of the group, Jun Haneda of Studio ROLE, is a designer. Not a metalworker or a lacquerer, but a bona fide graphic designer. He's also a member of the Toyama Art Directors Club.

Craft Events for the Whole Town

Densan introduced me to other traditional Takaoka industries as well. The Takaoka Craft Market, an annual fall craft event, celebrates its 10th anniversary in 2021. It includes a diverse range of programs like Takaoka Craft Turismo, a pioneer of industrial tourism in which artisans show guests around their (→p. 105)

その企画力。使用済みの破棄される瓶を、再び溶かし切らずに熱を加え、花器やピッチャーなどに変えていく「bottle origin」。「セイズファーム」のワインボトルは、なんとワイングラスへアップサイクル。さらに、呉羽梨や、利賀村のクロモジの剪定枝など、〝富山の自然〟から生み出されるアクセサリーシリーズ「potash」。古来のガラス作りをもとに、植物灰から作った色ガラス。引き出される色味は、どれひとつとして同じではない。

ピーター・アイビーさんや、小路口力恵さんなど、少なくとも、〝ガラスの街とやま〟は、美しいものづくりが生まれるきっかけにもなってきた。人間が、話題性やテクノロジーを利用して欲望のままに生み出すものには、限りがある。その先、何十年も何百年も続いていくためには、もっと、自然と、まちと、暮らしに寄り添っていくべきなのだろう。

ガラは悪いが、腕は良い 伝統工芸都市若手職人衆

一瞬、強面の輩集団を連想してしまいましたが、実はこの「高岡伝統産業青年会（以下、伝産）」は、全国的にみても、極めて活動率が高く、誰に対しても優しく、仲がよく、そして〝個性派〟。まず、会長がデザイナー（２０２１年現在44代目）。鋳物職人でも、漆塗り職人でもなく、現役バリバリのグラフィックデザイナー。スタジオ「ROLE」の羽田純さんは、富山アートディレクターズクラブの会員でもあって、毎年彼の作品は、一際目立っている。伝統織物の金襴や緞子などの「サカエ金襴」の「ZAF」、富山のお土産ブランド「越中富山 技のこわけ」、昆布締めとクラフトビールのバー「クラフタン」など。

ちなみに、伝産に入会する条件は、原則高岡市在住で、伝統産業もしくは、工芸に関与した仕事をしていること。地域の仕事をするデザイナーも例外ではない。羽田さんの面白いのが、この「伝産」をデザインプロデュースしているところにある。４００年以上続く高岡市の伝統産業の歴史の中で、単に参加するのではなく、デザイナーとしてやれるべきことがあるのではないか。それが、伝統の重さをコミカルに伝えたという、組合会員の「名刺」。今では、県内外にファンも多く、「他の職人の名刺も欲しい」と、これまで表舞台になかなか出てこなかった職人

and stools for cabinet maker KAKI. It's an industrial revolution that only Toyama could create, with a free-flowing nature that only concrete can provide.

Toyama Glass

For the past 30 or so years, Toyama City has billed itself as a "glass town." Some say the origins of Toyama glass lie in the patent medicine industry. Bottles are an indispensable tool in making medicines, they say, and so a glass bottle industry developed…But at heart, it's just part of Toyama's urban development plan. In 1991 the Toyama Institute of Glass Art opened, and in 1994 the Toyama Glass Studio was established. Finally, in 2015, the Toyama Glass Art Museum was completed.

Independent glass artist Takara Kinoshita, too, got her start working in the Toyama Glass Studio. Now, under her own Simpleglass brand, she makes intricate and delicate, yet simple glass items. What really sets her apart is her creative vision. For her "bottle origin" line, she heats used bottles without melting them down and reshapes them into vases and pitchers. And her "potash" series of accessories is inspired by

たちが、ここぞとばかりに自己紹介する。名刺の絵柄は、繋いでいくと大きな絵にもなり、コンプリートを目的に、会う口実にする人も。最近は、コロナエディションも刷ったようで、「2メートル離れてお渡しします」とのこと(笑)。

まち一帯のクラフトイベント

他にも、高岡の伝統産業に関わる活動をご紹介。2011年に始まった、毎年秋に開催するクラフトイベント「高岡クラフト市場街」は、2021年で10周年。高岡に暮らす人々の「人」と「クラフト」が触れ合う機会をつくりたいという想いからだったという。その中で開催されるさまざなプログラム。産業観光のさきがけでもある「高岡クラフツーリズモ」。ものづくりの現場を職人が案内してくれる。のちに、「工芸都市高岡クラフト展」や、「銅器団地オープンファクトリー」などの高岡の主要イベントも同時開催となり、「たかおか軒下マルシェ」や「ほんまち蚤の市」、「町並美術館」や「市場街コンシェルジュ」、などなど、伝産のメンバーや、富山大学芸術文化学部の学生も参加し、これまで開催してきたイベントは数えきれない。2020年には「高岡クラフト市場街 #市場街TV」と題して、オンライン配信を行なった。高岡で結成された「ザ・おめでたズ」をはじめ、富山にゆかりのあるアーティストが出演する無観客ライブ「市場街ナイト」……伝統産業を知らしめる活動は、多岐にわたっている。

「伝える」だけではなく、「守り」、「動く」

では、肝心の技術の継承。世界中の人に、高岡の「伝統産業」を伝えることはできたとしても、その産業が、これからも続いていかなくては何も意味がない。高岡の産業の基礎にあるのが、「工芸」だ。ちなみに、経済産業大臣が指定する富山県の伝統的工芸品は、6つ。そのうち、高岡市のものが、「高岡漆器」「高岡銅器」「越中福岡の菅笠(2017年に指定)」だ。400年前、加賀藩・前田利長の命令により、7名の天才鋳物師が送り込まれ始まった銅器。そして、同じく利長が、武具や箪笥、膳などの日常生活品を作らせ始まった漆器。一方で、庶民の農作業を支えてきた菅笠。どれもそれぞれ趣ある工芸品だが、職人の技が生きる代物。その技を伝え残していくことが、〝伝統〟であり、〝伝統を守る〟

demand changes over time, and they must change as well.

With Kotaro Kunimoto of Takaoka wholesaler Lacquerware Kunimoto as my special guide, I paid visits to a variety of artisans working in Takaoka.

My first stop was the Shimatani Shoryu Workshop, which makes Buddhist tin bells. Mr. Shimatani beats metal sheets with a hammer to both shape and tune the metal to perfection. This hammering gave him the idea for a new household product: tin paper, which is tin beat so thin you can fold it like paper.

Next, I stop by momentum factory Orii, where they add color to copper and brass products. The beautiful green patina on the Great Buddha of Takaoka and other statues around Japan is actually produced by oxidizing the metal. Orii has succeeded in using this technique to add color to objects that were previously too thin for patinas. They also create building materials, furniture, and other new products.

The Musashigawa Workshop specializes in mother-of-pearl inlays. This technique is used in accessories and toys, giving Takaoka lacquerware a close-to-home feel. Mitsuhiro Kyoden of the Kyoden Workshop creates and repairs gold (→p. 107)

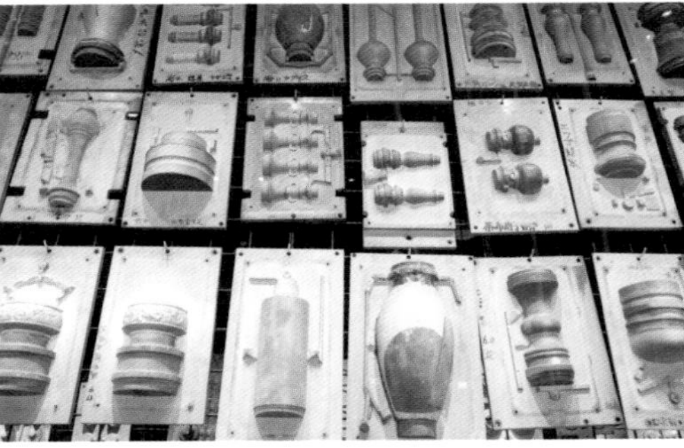

のである。しかし、今の時代、ブロンズのオブジェの価値は？ いつ、武具を身に着けるのか？ ナイロン製のキャップの方が便利では？ 時代とともに変化する需要。伝統工芸は、遺産ではなく、現在進行形でなくてはならない。

高岡市で卸問屋を営む「漆器くにもと」の國本耕太郎さんに、特別に案内していただき、高岡で活躍するさまざまな職人さんを訪ねた。

まずは、「シマタニ昇龍工房」。金鎚で叩くことにより、金属の板を絞り、丸みを整え、音を調律することで、おりんを製作。その「叩き」をヒントに、生活雑貨「すずがみ」を提案している。紙のように薄くて自由に曲げることができ、想像を掻き立てる錫商品だ。

銅や真鍮の着色工房「momentum factory Orii」へ。高岡大仏をはじめ日本中の銅像の美しい緑色は、実は化学変化をさせて着色している。その技術を使って、今までできなかった薄い銅板への着色が成功。建材や家具、新しいプロダクトも生み出している。

workspaces. In 2020, they had an online event titled "Takaoka Craft Market #Market TV," and a "Market Night" with live, remote performances by Toyama artists. There are all sorts of creative ways to get the word out about traditional industries.

Not Just Promoting, but Preserving and Practicing

Here's the problem, though: even if you raise awareness of Takaoka's traditional industries, it doesn't mean much if no one's there to carry them on. Incidentally, Toyama has six METI-designated traditional crafts. Of those, three are from Takaoka: Takaoka lacquerware, Takaoka copperware, and Etchu Fukuoka woven hats. The copperware traces its origins back 400 years, when seven highly gifted metalworkers were brought in on the orders of the local daimyo. The lacquerware industry, too, got its start making weapons, cabinets, and dining tables for the same daimyo. The hat industry, by contrast, supported the peasants in their farm work. Each of these crafts has its own charm, and the artisans' skills live on in all of them. Passing those skills on is part of preserving the traditions. But traditional crafts cannot be artifacts of the past:

彫刻道具　内丸・外丸の深さ

Rを確かめる際は、紙面に対して、はがね部分を直角にあててご覧下さい。
（Rは、はがねの内側（外丸の場合は外側）のRです。）

	3厘	5厘	7厘	1分	1分半	2分	2分半	3分	3分半	4分	5分	6分	7分	8分
極々浅丸														
極浅丸														
中浅丸														
浅丸														
中深丸														
深丸														
極深丸														

螺鈿細工の「武蔵川工房」。アクセサリーや玩具にもその技術を活かし、高岡漆器を身近に感じさせてくれる。参考資料として見せていただいた螺鈿のルービックキューブは、外国人に人気が出そう。

金箔を貼る「京田仏壇工房」。仏壇の製造や修理に加え、高岡漆器の技術の一つ「彫刻塗」の後継者でもある京田充弘さん。料理用の器に、大胆に金箔を貼ったものを提案するなど、新進気鋭な活動が目立つ。

國本さん自身も、アウトドアブランド「artisan 933」を立ち上げ、利賀村には「TOGA ART CAMPGROUND」をオープン。ビジターセンターには、高岡の伝統工芸を活かしたプロダクトも販売していて、ペグ型の漆塗りの箸など、どれもユニーク。

富山の人は、ひとりじゃない

オリジナルのミニ干支の銅の置物が可愛い「大寺幸八郎商店」。隣には、錫を使ったアクセサリーブランド「kohachiro」の工房を構えた。高岡大仏近くには、「FUTAGAMI」の生活雑貨から、鋳物のお土産など、手仕事の商品が並ぶ「がらんどう」や、菅笠の技術を踏襲したプロダクトを制作・販売する荒物店「大菅商店」など、高岡のものづくりに触れられる店が増えている。地元食材の和食料理店「茶寮 和香」や、地ビール造りが見事な「Latticework brewing」。極め付きは、高岡伝統産業に囲まれた宿泊施設「金ノ三寸」。身近なエリアに、多種多様の技術を持った職人たちがいるのは、高岡の最大の特徴でもあった。

南砺市の「井波彫刻」周辺のBed and Craftや、富山市の「越中和紙」周辺の越中八尾ベースOYATSUなど、過去に産業で栄えた地域には、今、中心となりうるリーダーたちが、現れ始めている。「伝統産業」は、如何ようになくすこともできれば、生み出すこともできる。何を残し、何を作るのかが、最も重要だ。それには、ルールも必要で、そのルールを学ぶために、先人たちの業績がある。ひとりではなく、他の人たちや町や、山や川や海などの自然、そして仏様（！）まで、地域一丸となって、健全で豊かな生活をしていく仕組みを考えることこそが、産業の始まりであり、〝まちづくり〟の基礎になるだろう。富山県という大きな地域が、のちに、日本の〝産業の伝統〟になる日が、必ず来るはずだ。

leafing for Buddhist altars. He's also a practitioner of engraved lacquer, one of the techniques of Takaoka lacquerware. Kyoden is an up-and-comer in the industry, with daring new ideas like gold-leafed cooking dishes.

Kunimoto himself has launched his own outdoor brand, artisan933, and opened the Toga Art Campground. The visitor center sells products made in the Takaoka craft tradition.

In Toyama, Everyone Is Part of the Whole

What makes Takaoka truly distinctive is that there are artisans with diverse skills and techniques right in your neighborhood. Just as traditional industries can be born, so can they disappear. What's most important is what you make and what you leave behind. It's when people and towns, mountains and rivers and seas, and even the Buddha (!) come together as a whole and share a vision for rich, healthy living that industries are born, and that communities are built. The day will surely come when the great community of Toyama will define the traditions of industry in Japan.

富山のうまい！

D&DEPARTMENT TOYAMAのスタッフと編集長が、取材抜きでも食べに行く店

富山県民会館の1階に入る我らが「D&DEPARTMENT TOYAMA」。そんな誰よりも富山のロングライフデザインを愛しているスタッフに、プライベートでも御用達の店を聞いてみました。厳選11品（ちゃっかり編集長も2品セレクト）、どれも美味しそう!!

Favorite Dishes From TOYAMA

Our "d Toyama store" opened on the 1st floor of the Toyama Prefectural Hall in 2015. We asked our staff who love Toyama's Long-Life Design more than anyone else about their favorite restaurants even when it's not for work. We carefully handpicked 11 dishes that are bound to please even those with the fussiest palates.

1 スズキーマ
FAVORITE
Suzukima

大ぶりな大根と煎餅を崩しながら、味わうワクワク感は唯一無二。弾けるスパイシーさの中にもホッとする優しさが。（田中）
1,320円

スズキーマ 富山県富山市西町6-4 西町河上ビル1F-A 076-491-2184 12:00–20:00 ※カレーは、なくなり次第終了 水・木曜休、火曜不定休 www.instagram.com/szkeema/ Suzukima 1F-A Kawakami Bldg, Nishi-cho 6-4, Toyama, Toyama 12:00–20:00 *Curry may sell out before closing time Closed on Wednesdays and Thursdays, sometimes on Tuesdays

2 たら汁
FAVORITE
Cod Soup

使い込まれたアルミの鍋で、ドンッと出されるのがここのスタイル。鱈の旨み全部入って880円!!（進藤）880円

栄食堂 富山県下新川郡朝日町境647-1 0765-83-3355 8:00–19:00 隔週月曜休 Sakae Shokudo Sakai 647-1, Asahi-machi, Shimoniikawa-gun, Toyama 8:00–19:00 Closed every other Monday

3 特選ヒレとんかつ定食
FAVORITE
Special Filet Tonkatsu Set Meal

質の良い肉が入った時のみ出されるメニュー。ヒレカツも美味しいが、店内の展示品にも趣があります。（貴堂）
1,760円

新とんかつ 太郎丸店 富山県富山市太郎丸西町2-11-5 076-424-5785 11:30–14:30（L.O.14:00） 17:00–20:30（L.O.20:00） ※早期閉店の場合あり 火曜休（年始・お盆・祝日は、営業） shintonkatsu.com/ Shintonkatsu – Taromaru restaurant Taromaru Nishi-machi 2-11-5, Toyama, Toyama 11:30–14:30 (L.O.14:00) 17:00–20:30 (L.O.20:00) *May close early Closed on Tuesdays (Open during the New Year holidays, Obon festival, and public holidays)

4 白えびチャーハン
FAVORITE
White Shrimp Fried Rice

一口ほおばれば、口いっぱいに広がる白えびの香ばしさ。路面電車が行き交う街を眺めながら。（五本）950円

COOKTOWN 富山県富山市上本町6-1 ラ・アンサンブルビル2F 076-482-6930 水～土曜 11:30–15:00（L.O.14:30） 18:00–22:00（L.O.21:00） 日曜 11:30～15:00 月・火曜休 COOKTOWN 2F La Ensemble Bldg, Kamihon-machi 6-1, Toyama, Toyama Wednesday–Saturday 11:30–15:00 (L.O.14:30) 18:00–22:00 (L.O.21:00) Sunday 11:30–15:00 Closed on Mondays and Tuesdays

5 もつ 牛豚ミックス 豆腐入り
FAVORITE
Offal Beef Pork Mix with Tofu

豆腐がここまでいい仕事をしているもつ鍋は初めて。見た目も味も、超強烈！ ビール、ビールっ！（神藤）1,480円

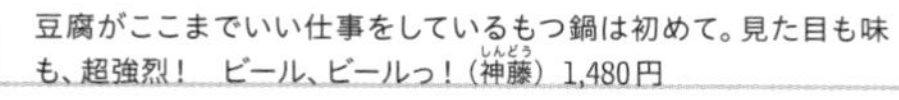

ふた多福 富山県富山市婦中町速星543 076-466-2265 16:30–22:00 日曜休 Futafuku Hayahoshi 543, Fuchu-machi, Toyama, Toyama 16:30–22:00 Closed on Sundays

FAVORITE

メープル フレンチトースト
Maple French Toast

外カリ中ジュワの幸せ食感……トレーがいっぱいでも、ひとつは必ずのせてしまう。（早崎）194円

パンドール　富山県富山市桜町1-6-11　076-431-6638　7:00–18:00　水・日曜・祝休　www.paindor.net
PAIN D'OR　Sakura-machi 1-6-11, Toyama, Toyama　7:00–18:00　Closed on Wednesdays, Sundays and public holidays

FAVORITE

あやめ団子
Ayame Dango

1本目はモチモチの食感を楽しみ、2本目は濃厚な黒砂糖の蜜をたっぷり絡めていただきます。（清水）1本108円

石谷もちや　富山県富山市中央通り1-5-33　076-421-2253　9:30–18:00　水曜休　www.ishitani-mochiya.jp
Ishitani Mochiya　Chuo-dori 1-5-33, Toyama, Toyama　9:30–18:00　Closed on Wednesdays

FAVORITE

冷やし中華
Chilled Chinese Noodles

もはや福光の夏の風物詩。木造建築の趣に負けないくらい、コクのある美味しさ。丸山（おでん）も忘れずに。（神藤）700円

春乃色食堂　富山県南砺市福光6808-2　0763-52-0544　11:00–18:00　木曜 11:00–17:00　※おでんがなくなり次第終了　日曜休
Harunoiro Shokudo　Fukumitsu 6808-2, Nanto, Toyama　11:00–18:00　Thursday 11:00–17:00 *Until *oden* is sold out　Closed on Sundays

FAVORITE

もつ煮込みうどん
Udon with Stewed Offal

煮立った土鍋の蓋を操る手際の良さは必見。ぜひ、カウンター席で、ライブ感も味わって。（伊部）900円（+生たまご 70円）

糸庄 本店　富山県富山市太郎丸本町1-7-6　076-425-5581　11:00–15:30（L.O.15:00）17:00–23:30（L.O.23:00）　火曜休、第1・3水曜休（火曜が祝日の場合、翌日水曜休）　www.itoshou.com　Itosho Main Restaurant　Taromaruhon-machi 1-7-6, Toyama, Toyama　11:00–15:30（L.O.15:00）　17:00–23:30（L.O.23:00）　Closed on Tuesdays, 1st and 3rd Wednesdays（If Tuesday is a national holiday, closed on the following Wednesday）

FAVORITE

ホタルイカの 釜揚げ
Scalded Firefly Squid

名物ホタルイカを、生きたままぐつぐつのお出汁にサッと入れて、色が変われば食べ頃。ぷりぷりで濃厚。（進藤）1,600円～

居酒屋ちろり　富山県富山市総曲輪1-4-3 レストタウンビル1F　076-433-6688　18:00–23:00　日曜・祝日休（金・土曜は営業）　twitter.com/izakayachirori　Izakaya Chirori　1F Rest Town Bldg, Sogawa 1-4-3, Toyama, Toyama　18:00–23:00　Closed on Sundays and public holidays（open on Fridays and Saturdays）

FAVORITE

サンドウィッチ
Sandwich

登山前に必ず寄りたい名物コンビニ。次は、おでんのサンドウィッチ(!?)に挑戦します。（岡本）300円～

立山サンダーバード　富山県中新川郡立山町横江6-1　076-483-3331　5:00–20:00（冬季は、6:00～20:00）　無休　Tateyama Thunderbird　Yokoe 6-1, Tateyama-cho, Nakaniikawa-gun, Toyama　5:00–20:00（6:00–20:00 in winter）Open all year

富山県の風土が生んだ企業

光岡自動車

神藤秀人

TOYAMA Born and Raised

Mitsuoka Motor

By Hideto Shindo

富山県を旅していると、個性的な「顔」をした車をよく見かけた。それは、ヘッドライトとグリルカバーの配置が絶妙で、まるで小動物のようにも見え、不思議と愛おしくもあった。富山市にある乗用車メーカー「光岡自動車」の、ロングセラー「ビュート」だ。工業製品にもかかわらず、どこかクラフト感が漂う、楽しげな車だった。

僕がまだ学生の頃、第35回東京モーターショー（2001年。以下TMS）が行なわれた。中でも、絶大な人気を誇っていたのが、同社のコンセプトカー「大蛇〜OROCHI」だった。カーデザイナーを志した同級生たちと驚いた記憶が甦る。第1回TMS（1954年）の頃は、家庭の「三種の神器」というと、冷蔵庫・洗濯機・掃除機とされていた時代。「車」は、庶民にとって「夢のまた夢」でしかなかった。今でこそ、電気エンジンや自動運転といった技術にまで発展しているが、やはりTMSの醍醐味は、デザインだった。ルールや常識、設計要件に囚われない、まさに〝ドリームカー〟。それが、光岡自動車の印象だった。

1968年、創業。鈑金塗装業から始まり、中古車販売業へ。1982年には、原付免許で運転できるマイクロカーを発表し大人気に。しかし、道路交通法改正とともに、生産数が減り、工場は一時閉鎖。そんな中、光岡進さん（現会長）が出会ったのが、海外の改造車だった。ある車をベースに、ボディーを変えることは、海外では自動車文化の一部だった。そして、1987年、フォルクスワーゲンのビートルをベースに「BUBUクラシックSSK」を発表。これが、オリジナルカー作りの始まりだった。富山の街で走る「ビュート」は、日産のマーチがベース。実際に、ディーラーで購入し解体、職人たちがボディーを作り上げる。ある意味、一つとして同じものはない〝工芸品〟。他にも、マツダのロードスターの「ロックスター」（2018年）や、トヨタのRAV4の「バディ」（2021年）など、個性的なラインアップ。

豊かな大地、地震の少なさ、三大都市圏への好アクセス——北陸は、「工業王国」として成り立つ土壌がある。鋳物や漆、木工、ガラス、織物……挙げると切りがない。産業の基礎には、工芸があり、職人がいる。大量生産の時代が見直される現代だからこそ、「車」の役割も変わってもいいのではないか。夢のまた夢の、また夢の車。楽しみにしています。

Traveling through Toyama, I often saw cars with peculiar “faces,” almost like cute little animals. These were *Viewts*, one of Toyama-based Mitsuoka Motor’s longest sellers.

I remember my amazement at seeing Mitsuoka’s *Orochi* concept car, the star of the 35th Tokyo Motor Show (TMS) in 2001. Back in 1954 when TMS began, a car was something ordinary Japanese could only dream of buying. The biggest allure of TMS wasn’t the technology, it was the design. No rules, no limits, only dream cars: that was Mitsuoka’s image.

Founded in 1968, Mitsuoka first rose to fame with its microcars, drivable with a motorcycle license. Later, the company found new success in modding foreign cars, like 1987’s *Bubu Classic SSK*, based on the Volkswagen Beetle; the *Viewt* itself is based on the Nissan *March*. In a sense, Mitsuoka’s creations are one-of-a-kind works of art.

With ample land, few earthquakes, and easy access to Japan’s biggest cities, Hokuriku is a rising industrial kingdom. And the foundation of industry is craftsmanship. Perhaps it’s time for the role of cars to change. I can’t wait to see what dream cars come next.

富山県で見つけた、富山県を舞台にした映画

フレネルの光

樋口ゆちこ（ほとり座）

『フレネルの光』
（原題『Retour à Toyama』）
2020年／24分／フランス／MLD FILMS
監督・脚本：平井敦士
出演：田中純平
問い合わせ先：info@hotori.jp（ほとり座）

wind is blowing over you. It's a wonderful film.

I was hired to work on the photography for the film; we shot on location near Hirai's childhood home. The first night I was there, I just stood and gazed dumbfounded up at the sky, amazed at how beautiful the stars looked in this ordinary neighborhood. It was a place called Mizuhashi, and I didn't realize until I joined the film crew that it was right next to the sea. The locals claimed there was nothing to see there, but for me, the beauty of the river, the fishermen out early in the morning, the winding streets and crossroads—it was all fresh and new. Just as the land carries the memory of time with it, the film brings a great many things into perspective through the spiritual growth of a young man. Now, people all around the world have seen the film, and when I imagine this place finding its way into their hearts, it fills me with joy.

Fresnel no Hikari **(original title: Retour à Toyama)**
2020 / 24 min. / France / MLD Films
Written and directed by Atsushi Hirai
Starring Junpei Tanaka

ダミアン・マニヴェル監督（フランス）の作品を観て、今まで経験したことのない表現方法に、世界は広いなぁ〜としみじみ感じたのが、2017年。そして、彼の下で助監督を務めていたのが、本作の監督である平井敦士さんでした。

『フレネルの光』は、主人公のたくみが、父の死をきっかけに帰郷し、大切な人の死、変貌していく街の姿に喪失感を増幅させていきます。映画のラスト、たくみが成長する瞬間、心地よい風が、観る者にも通り抜けるような感覚を味わうことができる不思議な作品です。

撮影には、私も参加させていただくことになり、撮影現場となる平井さんのご実家周辺に初めて訪れた夜の時のこと。住宅地でこんなに星がきれいに見えるのかと、しばらくぼうっと見上げていました。そこが水橋という所で、すぐそこには海が広がっているということは、映画に関わるようになってから知りました。「何もないところ」と、地元の方々は仰っていましたが、白岩川の美しさ、早朝の釣り人たち、複雑な路地、交差点、全てが新鮮でした。土地が時間を記憶したように、映画も一人の青年の心の成長を通して、さまざまなものを見えるように。世界中の人が観てくださっているのですが、この場所が観た人の心の中にあると想像しただけで、すごく嬉しくなってくるのです。

富山県を舞台にした、主な映画

『ヒルコ／妖怪ハンター』監督：塚本晋也（1991年）／**『人生の約束』**監督：石橋冠（2016年）／**『真白の恋』**監督：坂本欣弘（2017年）／**『追憶』**監督：降旗康男（2017年）／**『羊の木』**監督：吉田大八（2018年）／**『ばあちゃんロード』**監督：篠原哲雄（2018年）／**『おもいで写眞』**監督：熊澤尚人（2021年）／**『大コメ騒動』**監督：本木克英（2021年）

Movies Set in TOYAMA

Fresnel no Hikari

By Yuchiko Higuchi（Hotori-Za）

In 2017, I happened to watch a film on stream that impacted me deeply. It was directed by a young Frenchman named Damien Manivel, and I searched the Internet for some-place—anyplace—in Japan where I could see it in a theater. I'd never seen such visual expression before; it really drove home for me how big a place the world is. I remember being ecstatic when I found out that Manivel's assistant director was from Toyama. This is how I first encountered Atsushi Hirai, the director of Fresnel no Hikari.

Fresnel no Hikari is about a man named Takumi, who returns to Toyama after the death of his father. His sense of loss is compounded by how much his hometown has changed over the years. In the final scene, at the moment when Takumi comes to terms with it all, you feel as if a refreshing

TULIP
TAKAOKA

スピニー

富山の文化誌

進藤仁美

Toyama's Culture Magazine

Spinnie

By Hitomi Shindo

スピニー　2017年創刊。暮らす人の目線で地元富山の日常の魅力を伝える。ブックイベント「BOOK DAYとやま」の開催に合わせて制作し、これまで年に1冊のペースで発行、850円（税込）。「D&DEPARTMENT TOYAMA」（富山市）、「古本ブックエンド」（富山市）、「ひらすま書房」（射水市）、「古本いるふ」（滑川市）等で販売。 www.spinnie.jp

「スピニー」は、富山市を中心に日常の何気ない、でも、特別な場所やものやことを、そこに暮らす人の目線で紹介するリトルプレス。「スピニー」という名前の由来は、たくさんの人たちを、富山の魅力に「巻き込む」＝「スピンする」という思いからだそう。2017年に発売された創刊号は、「駅前、徒歩15分のとやま案内」がテーマでD&DEPARTMENT TOYAMA周辺も取り上げられている。

2021年までに、年にほぼ1冊のペースで、4号出版され、また富山市以外の上市町と、南砺市福光を特集した別冊もある。立ち上げは、編集者の居場梓（いばあずさ）さん、ライターの高井友紀子さん、フォトグラファーの京角真裕（きょうがく）さんの3人。居場さんと高井さんは、富山市在住で、元々同じ出版社の同僚で、射水市在住の京角さんは、2人が担当していた雑誌のカメラマンだったという。会社を辞めて独立後、好きなものの感覚が似ていると意気投合したことから、スピニーの制作がスタートした。

誌面で取り上げるのは、自分たちが暮らす「足元の町の日常」だ。足しげく通うカフェやレストラン、ふらっと立ち寄る商店や書店、贔屓（ひいき）にしているお菓子など、居場さんと高井さんの行きつけの場所や、本当に好きなものだけが紹介されている。普通の旅行雑誌には載らないようなところかもしれないが、そんな地元の人が、当たり前に通う場所やものを知ると、見知らぬ町との距離がグッと縮まって、自分もこの町に暮らしているような気持ちにもなる。自費出版の冊子からは、富山の暮らしをかけがえのないものとして大切に思っていること、それを伝えたいという誠意が滲（にじ）み出ていて、1冊読み終えると、作り手の町への思いはもちろん、この町が住む人から愛されている町なのだと実感した。

地元の人にとっても、スピニーは、特別な本だと思う。毎号新しい発見があり、そういう出会いは、町の暮らしを一層楽しいものにもしてくれる。富山生活4年の私も、好きな場所やものやことが取り上げられていると嬉（うれ）しく、今まで当たり前過ぎて気に留めていなかった日常の風景が、実は特別で、魅力的なものだったことに、改めて気づかされる。町を訪れる人にも、町に暮らす人にも、いろいろな人に、手に取ってほしい〝文化誌〟スピニー。次号もまた新しい出会いがあることを楽しみにしている。

Spinnie is a small, independent magazine that presents ordinary, yet special places and things around Toyama City from the viewpoint of the people who live there. The first issue, published in 2017, profiled the area around D&DEPARTMENT TOYAMA as part of a "Guide to Toyama 15 Minutes' Walk from the Station" feature. As of 2021, it's put out four issues, about one per year, plus supplements on Kamiichi and Fukumitsu. It was launched by a team of three: editor Azusa Iba, writer Yukiko Takai, and photographer Masahiro Kyogaku. The magazine deals with daily life in the city as they experience it; Iba and Takai focus only on the places and things they truly love: cafes and restaurants they frequent, stores and bookshops they regularly drop by, desserts they're partial to.

Spinnie is special to the people of Toyama, too. Every issue has something new to discover, and each new encounter makes life in the city that much more fun. It reminds them that behind the same old townscape they've grown accustomed to, there's actually something extraordinary, something exciting.

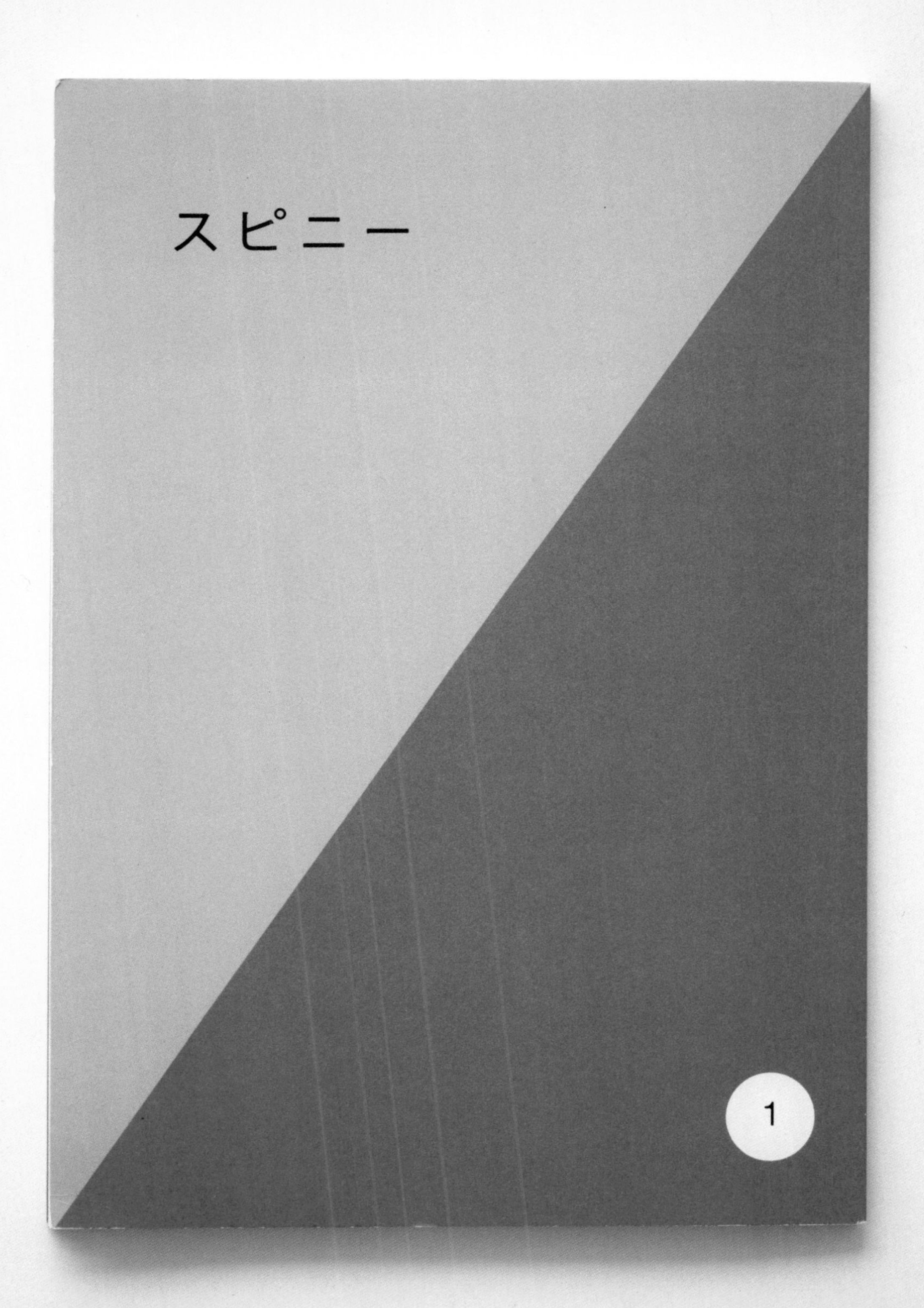
スピニー
1

＼歩いて4分／

メルカード

今から41年前、喫茶店が乱立していた富山駅前に〝201番目〟の喫茶店として誕生した「UCCカフェメルカード」。UCCコーヒーの創業者・上島忠雄氏の甥っ子にあたる上島清司さんがマスターを務める、富山ではとても希少な純喫茶だ。深焼きのレンガの壁や桜の一枚木で作られたカウンターなど、創業時からの歴史を感じさせられる店内の設えは、若かりし頃の夫婦のこだわりを物語る。

朝7時の開店とともに常連客が続々と来店。その後2陣、3陣と続くことは言うまでもない。客のほとんどが、カウンター越しからホットを注文。これがこの店でずっと続くいつもの光景だ。ニュース番組が映し出されたテレビの音と客たちの日常会話が店内のBGMがわり。「ニュースは毎日変わるからお客さんの話も尽きないの」と、マスターは穏やかに話してくれた。

コーヒーはナンバーワンの品質にこだわったUCCの厳選豆を使用し、サイフォンで丁寧に淹れていく。テーブルにはグラニュー糖とコーヒーシュガーの2種類を常備。奥様の紀子さんから「コーヒーシュガーは通な方が入れて飲まれるのよ」と教わった。小腹がすいたときやおやつの時間には、ドイツ製の器械で作る焼き立てのワッフルがちょうどいい。注文が入ってから独自の配合で作られる生地をカリッと焼き上げる。厚みのあるワッフルは、その香ばしさと本格的な味わいが後をひく。出来上がりまでに少々時間がかかるので、食べたいときは時間の確認をお忘れなく。駅前から徒歩約4分。一息つきたいときにぜひ訪れてほしい一軒だ。(I)

Spinnie First published in 2017, Spinnie depicts the charms of daily life in Toyama from the viewpoint of the people who live there. Published once a year in May during BOOK DAY TOYAMA; price: ¥850 (incl. tax). In addition to D&DEPARTMENT TOYAMA (Toyama City), it can be found at Bookends Used Books (Toyama City), Hirasuma Shobo (Imizu), and Iruf Used Books (Namerikawa). www.spinnie.jp

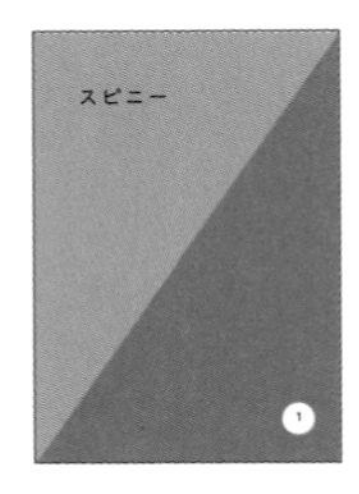

117

118

119

P. 118 - P. 119

A four-minute walk from the station: Mercado

41 years ago, when the area in front of Toyama station was crowded with coffee shops, UCC Café Mercado opened as the "201st" coffee shop. Run by Kiyoshi Ueshima, whose uncle Tadao Ueshima founded UCC Coffee, this is a very rare old-school coffee shop in Toyama. The interior of the shop, such as the dark-brick wall and counter made of a single-slab cherry wood, evokes its history since founding and is telling of the discriminating tastes of the married proprietor couple when they were young.

When the shop opens at 7 a.m., the regulars start streaming in. As to be expected, second and third waves follow. Most order hot coffee over the counter, in a scene that has unfolded for years. The sound of a news program from the TV and the casual conversations of customers serve as the background music for the shop. Mr. Ueshima amicably tells me, "The news changes every day, so customers never run out of topics."

Coffee is made with meticulously-selected beans from UCC, which insists on top quality, and carefully siphon-brewed. Both granulated sugar and coffee sugar are always on the tables. Mr. Ueshima's wife, Noriko, shared with me that "Aficionados use the coffee sugar." At snack time or when feeling slightly hungry, the freshly-baked waffle made with a German appliance hits the spot. The waffle mixture is a special recipe, prepared to order and baked to crisp perfection. Aromatic and thick, the authentic taste lingers on the tongue. This takes a while to prepare, so be sure to check the time when ordering. Approximately a four-minute walk from the station front. I highly recommend a visit here when you want a brief respite.

あれあれ
JTB
シティホール
富山

富山県の〝奇跡のようなまち〟

パッシブタウン

神藤秀人（しんどうひでと）

Toyama's "Miracle Town"

Passive Town

By Hideto Shindo

多様な生活環境

もし自分が、見知らぬ土地で、一人生活していくことになったとして、最低限どのような暮らしを求めるのか想像してみてほしい。夏は、経験したことのないような暑さが続き、冬は、視界が遮られるほど雪が降り積もる。ツンドラやサバンナ、湿地帯や寒冷地……世界中にある多様な自然環境。そういう土地で暮らしていくためには、一体何が必要で、どのように生活していったらいいのか。

比較的、日本は、人間が住む環境として恵まれており、春夏秋冬という四季が巡り、さまざまな自然の恩恵を受けて生きてきた。一方で、地震や豪雨、猛暑や大雪、あらゆる自然災害にも耐えてきたことだろう。住みやすい土地を探し、知識や技術の発達とともに快適な暮らしを作ってきた先人たち。今の僕たちが豊かでいられるのは、間違いなくそれら文明のおかげである。

快適な生活とは?

東京をはじめ、都市で暮らす人にとって、まず、無くてはならないものって何だろう。エアコン、冷蔵庫、水道、シャワー、パソコン(WiFi)……実際、僕は今、冷房の利いた部屋で、この記事を書いている。しかも、インターネットに繋(つな)がったMacBookとiPhoneを駆使して。一歩、外に出れば、幹線道路も広がっていて、電車の駅や、バスの停留所も近く、タクシーだって携帯のアプリで遠隔で呼べる。コンビニやスーパー、ドラッグストアも、生活圏内にいくつもある。デリバリーやウェビナーも盛んになり、より一層便利な世の中になった。

この創られた生活は、いつまで続くのか——ふと思う。年々悪化する異常気象に伴い、高騰する月々の光熱費……ある意味で自然に逆らい、この土地で生活する意味とは、一体何なのか。そんな多くの現代人が、ある出来事によって転換期を迎えた——東日本大震災(2011年3月11日)。人々の意識が、地方へと向き、さらに(もちろん、それ以前に意識して行動してきた人たちも、たくさんいる)自然との共生を考える時代になってきた。日本中のみんなが、自分ごとのように、日本が持つ自然の「美しさ」と、日本人らしい「暮らし」を、改めて考え、誇りに思うようになった。

Diverse Living Environments

Imagine this: If you had to live alone in a place you'd never been before, what would you absolutely need to survive? Tundra and savanna, swamp and wasteland…all the different environments of the world. How on earth could you live in these places, and what would you need?

Japan is a relatively hospitable place for human life, blessed with four distinct seasons and a variety of natural resources. On the other hand, we have to contend with earthquakes, typhoons, intense heat and copious snowfall. Our forebears have always searched for better places to live, using their ever-growing knowledge and techniques to create more comfortable lives. There's no denying it's thanks to the civilization they built that we enjoy the riches we have today.

What makes for a comfortable life?

So what do urbanites in Tokyo and elsewhere find essential? A/C, a fridge, indoor plumbing, a computer (and WiFi)? With monthly utility costs soaring thanks to the weather getting more extreme every year, what's the point of living (→p. 125)

「YKK」のホームタウン

話は、富山県黒部市に移そう。前回の「富山号」でもご紹介しているように、この町には、ファスナーの世界トップメーカー、YKKの工場がある。YKK黒部事業所の一部を整備し開放している「YKKセンターパーク」は、YKKの技術と歴史、創業者の吉田忠雄氏（魚津市出身）を紹介した展示館、そして、立山連峰を望むカフェが併設。ちなみに、カフェがある「丸屋根展示館」は、ファスナー専用のテープを生産していた旧紡績工場を改築しており、建築家・大野秀敏氏設計。現存するYKK施設の中でも、最も古いという。まだ行ったことがない方は、ぜひ（要予約で）昔のファスナーの手作り体験もお薦め。

また、YKKのグループ会社である「YKK AP」は、建材メーカーとしても知られている。より快適な暮らし、新しい暮らしのための住宅を目指し、窓やサッシ、ドアからエクステリアまで、アルミや樹脂などをベースにさまざまな商品を作っている。そんなYKKもまた、東日本大震災以降、東京の本社機能の一部を、黒部市へ移転を決めた企業。そして、その頃から始

was around that time that YKK also started building housing for its employees, and the centerpiece is Passive Town in the Kayado district, whose first block was completed in March 2016 in what used to be YKK-owned housing.

"Happy Winds" Bring a New Way of Life

Probably the biggest allure of Passive Town is its eco-houses, powered by energy from natural sources like unique seasonal winds.

My first stop is Block 1, designed to take advantage of the local climate and landscape to achieve high energy efficiency. The residential buildings use solar and biomass energy to provide hot water and heating, and mountain spring water for cooling. They're arranged in south-facing terraces so that every house gets an equal amount of sun, even during dark winter months. They're also designed so that each house is cooled by the "happy winds" even on the hottest summer days, like a natural fan.

On to Block 2, where each house has outward-facing windows for a more detached design. The windows look out on a common space surrounded by mixed forest, (→p. 127)

まった、社員の〝住まいづくり〟がある。その拠点になっているのが、茅堂地区に誕生した「パッシブタウン」。2016年3月に、まずその第1街区が完成。この場所は、もともとYKKの社宅だった場所。今も一部は、社宅として現存していて、いずれは全ての区画をリニューアルしていく構想だ。

〝幸せの風〟がもたらす新しい生活

このパッシブタウンの最大の魅力と言ってもいいのが、独特の季節風「あいの風」などの自然エネルギーを利用したエコハウスだということ。民俗学者の柳田國男によると、豊穣、豊漁、あるいは幸運をもたらす「幸せの風」と考えられ、宝の船とも呼ばれた「北前船」の運航を助けるなど、富山県の発展になくてはならなかった風。春から夏にかけて、北東の海や山から運ばれる風は、このパッシブタウンの生活にも役立っている。

まず、第1街区について。設計者は、パッシブタウンのマスタープランナーでもある小玉祐一郎氏に、ランドスケープの設計は、宮城俊作氏。気候風土の特徴を活かした設計により、省エネルギー化を達成。住居棟では、太陽熱と、バイオマス熱を使って給湯を行ない、暖房にも利用し、山から湧き出る地下水は、涼房に利用。デザインは、南向きの棚田状になっていて、日射条件の良くない冬場でも、どの家も太陽の光を、平等に受けることができる。また、あいの風が、まるで〝ビル風〟のように各住戸へ届く設計にもなっており、真夏の日中でさえ、涼しかった。さらに、車道に面した商業棟の前には、打ち水の原理を使って涼を取る、地下水が湧き出る「水盤」を配置。

続いて、第2街区の住居棟。東京の「スパイラル」や「代官山ヒルサイドテラス」などの槇文彦氏設計。槇氏は、YKK所有の「前沢ガーデンハウス」も手がけている。全ての部屋が、外部に開かれた窓を持つ、独立住戸のような設計で、窓から見える雑木林に囲まれた共用スペースは、季節を感じさせる。建築性能の強化、および自然のポテンシャルをさらに活用している。

そして、第3街区のリノベーション住居棟。既存の建物2棟を使って、省エネ建築で知られる「キーアーキテクツ」の森みわ氏が設計。既存RC造における、断熱気密化と、耐震性能担保を実現。古い団地や旅館などの建築ストック

in a place where you're, in effect, defying nature? For many of these modern Japanese, the turning point came on March 11, 2011: the Great East Japan Earthquake. People suddenly became aware of the less urban parts of Japan, and they started to think more about coexisting with nature.

YKK's Hometown

Let's shift gears and talk about the city of Kurobe, Toyama. Kurobe is where YKK—the world's leading maker of fasteners—has its main factory. Part of the YKK Kurobe plant is open to the public as YKK Center Park with an exhibition hall where visitors can learn about YKK's technology and history as well as its founder Tadao Yoshida. It also has a café with views of Tateyama.

YKK AP, one of YKK's group companies, is also known for making building materials. From windows and frames to doors and exteriors, the company manufactures a range of aluminum and plastic products aimed at making homes more comfortable places to live. After the 2011 earthquake, YKK decided to move some functions from its Tokyo headquarters to Kurobe. It

（中古物件）利用の手本にもなるだろう。うち1棟は、ドイツの『パッシブハウス認定』を取得。

「パッシブハウス」とは何か？

1991年、環境先進国ドイツで、物理学者のファイスト博士が、世界初のパッシブハウスを建てた。その時、彼がしたことは以下の通り。

1 しっかりとした断熱
2 空気の漏れをなくす
3 熱橋をなくす
4 良い性能の窓をつける
5 窓の向き、日射遮蔽
6 熱交換換気

こんなことをうまく組み合わせると、暖房がほとんどいらなくなり、通常の家より90パーセントも熱が逃げない。では、どうやって家を温めるのかというと、人の体や太陽、照明の熱などを使うという。「気候変動を止めるため、これからの家の燃費はこれくらいに抑えないといけない」「そのために必要なエネルギー効率設計はこう」など、博士の研究は、同名の、家の省エネ基準にもなった。そのノウハウは、オープンにされ、今では、世界各地で普及し、日本にも「パッシブハウス・ジャパン」という団体が存在している。

世界のYKKから、世界の黒部へ

YKK APの技術は、このパッシブハウスとの親和性が高い。高性能トリプルガラス樹脂窓「APW 430」など、断熱性能の高い建材は、そのために開発をしてきたと言っても過言ではない。YKKの「まちづくり」が、ソフト面からハード面でも、機能し始めたのが、このパッシブタウンからなのだ。

保育園やスポーツジム、カフェやレストランも併設し、強制的なセミナーなどではなく、日常の生活の一部として自主的に集まり、当たり前のように環境問題について〝体現〟している。2018年からは、ローカルコミュニティー「KAYADO! フリー」が立ち上がり、ワークショップやマルシェなどを開催し、僕が訪れた時も、多くの人で賑（にぎ）わっていた。

他にも、黒部駅周辺の社員寮を中心としたまちづくりがある。「K-TOWN」は、一般的な団

virtually unnecessary. Dr. Feist's research led to the "Passive House" standards for energy efficiency. The know-how is now open to all and has spread around the world.

From World-Famous YKK to World-Famous Kurobe

The affinity between YKK AP's technology and these Passive Houses is quite high. It's no exaggeration to say that high-insulation building materials like APW 430 triple-paned resin windows were developed for precisely this purpose. It was here, in Passive Town, that YKK's town-building efforts—in both tangible and intangible aspects—got off the ground.

Passive living in Kurobe means accepting all aspects of nature—mountains, rivers, the sea and the wind. We've carved out a civilization for our own survival; in the coming age, it would be nice to give it back to nature. The ability to find beauty in the joy of living together is a uniquely human virtue, and Kurobe represents the culmination of that virtue. Born from a perfect harmony of Toyama industry and nature, it's truly a "miracle town."

地型の寮ではなく、4室で1棟〝まちなか型の寮〟として、垣根をなくし、誰でも通り抜けられる土地に、25棟が建っている。また、食事やラウンジなどの共用部分を、住居部分から切り離し、町の人も利用できる施設として整備したのが、駅前の「K-HALL」だ。富山県の杉板に囲まれる圧巻の内部空間は、もちろん断熱効果も文句なし。コンビニや、地元の米粉や卵などの食材を使った「REIWA PANCAKE」も入る。さらに、シティーホテル「ホテルアクア黒部」も、まちづくりの一環でリニューアル。こちらは、建築家ユニット「みかんぐみ」による設計。快適な客室は、日本随一のエコルーム。1階の飲食店は、一般客にも開放している。現在進行中の生地駅周辺の「I-TOWN」プロジェクトなど、ますます楽しみなまち。

　黒部という山も海も川も風も、全ての自然を受け入れる、パッシブな暮らし。生きるために切り開いた文明を、これからの時代は、ぜひ、自然へ返していきたい。共に生きるという喜びの中に、美しさを見出せるのは、人間ならではの徳であり、その最先端にあるまち・黒部。富山の企業と富山の自然とが、見事に調和し生まれた〝奇跡のようなまち〟だ。

lending a seasonal air.

And finally, the renovated housing of Block 3, where existing reinforced concrete structures have been insulated and earthquake-proofed. It's a good model for how to use existing building stock like old apartments and hotels. One of the buildings has earned "Passive House" certification from Germany.

What Is a Passive House?

The world's first Passive House was built in 1991 by Dr. Wolfgang Feist, a physicist from eco-conscious Germany.

1. Super-insulated the house
2. Made it airtight
3. Got rid of thermal bridges
4. Installed advanced windows
5. Oriented windows to block solar radiation
6. Used heat exchangers for ventilation

This ingenious combination of features allows a Passive House to retain 90% more heat than a normal house, making heating

富山県のロングライフな祭り

ネブタと虫

坂本大三郎（山伏）

「ネブタ」といえば、暗闇の中を煌びやかに電飾された山車がねり歩く、青森県の祭りを思い浮かべる人が多いのではないかと思います。しかし、富山県にも「滑川のネブタ流し」という祭りがあると聞いたら、意外に思う人がいるでしょうか。実は、ネブタのような名が付く祭りは、広範囲で見ることができ、民俗学者の柳田國男は、『年中行事覚書』の中で、数多くのネブタに類する祭りを挙げ、その習俗の詳細を検討し、ネブタの習俗を、ねむけや心身の穢れを笹竹などに託し、川や海に流す「行事」と考えました。

ネブタの名の意味に関しては、研究者の間でもさまざまな意見がありますが、個人的に「滑川のネブタ流し」に興味を惹かれたのは、その祭りの構造でした。滑川のネブタ流しでは、ネブタといわれる柱状の数メートルの長さの大松明を、藁で作り、やぐらに立て、町内をねり歩いた後、浜で火を付けて海へ流します。

富山県内では同様に、氷見市床鍋で、藁で柱状の数メートルの長さの大松明を作り、太鼓を叩き、集落を引き回し、村

of straw, set up on a scaffold, and paraded through town. When it reaches the beach, it's set on fire and cast adrift on the sea.

Elsewhere in Toyama, the village of Tokonabe in Himi City has a similar event. They build a huge straw torch and drag it around to the beat of drums. At the edge of the village, they set it on fire and take it to the elementary schoolyard to burn. It's called the *Tokonabe Bug Drive.* In Kyushu, there's the *15th Night Tug of War*, where they weave a rope together, parade it around, and have the eponymous contest. And in Korea, at the Lunar New Year and Chuseok holidays, they gather around a sacred *Doyama* tree, coil a rope, parade it through town on their shoulders, and then have a men-versus-women tug of war. It's amazing how much these different harvest festivals resemble each other. One can't help but imagine how people must have brought their customs from one land to another.

If you think about it, there's great value to be found in local village festivals. And yet, when you look at how they've all developed in their own unique ways, perhaps it's there that you'll find what makes each land truly special.

坂本 大三郎　現代の感性と客観性を併せ持つ山伏。東北出羽三山での山伏修行で、山伏の在り方や山間部に残る生活技術に魅せられ山形県に移住。山は人智を超えた「わからないもの」の象徴だと考え、そこにある奥深い文化や風習を、わかりやすい言葉と魅力的な絵で伝える。イラストレーター、文筆家としても活躍。

Daizaburo Sakamoto　*Yamabushi* (mountain priest) with a modern sensitivity and objectivity. During training as *Yamabushi* in Dewasanzan, Tohoku, he was attracted by the way of life of mountain priests and the art of living that remains in mountainous regions, and so he decided to relocate to Yamagata. Based on his belief that mountains are the symbol of "things we don't know" that surpass human intellect, he conveys the profound culture and customs in mountainous regions through easy to understand language and attractive illustrations. He is also active as an illustrator and writer.

外れで松明に火を付け、小学校のグラウンドに運び、大松明を立てて燃やす行事があり、こちらは「床鍋の虫送り」と呼ばれています。九州では、綱を作り、集落をねり歩き、綱引きを行なう「十五夜綱引き」という行事があり、朝鮮半島では、旧正月や旧8月15日の秋夕に、堂山と呼ばれる聖なる樹木に集まり、綱を巻き、綱をかついで集落をねり歩き、男女に分かれて綱引きをする行事があります。これら農耕の豊穣を願う祭りを、見比べてみると驚くほどそっくりで、その文化を持ち運んだ人たちの姿が想像されます。

カンボジアの遺跡の壁にも綱を引く彫刻が残されていますが、自分の身近にある村祭りが、広い範囲の繋がりや時間の深みがあると思うと、漠然と続いてきたような祭りにも大きな価値を感じることができるのではないでしょうか。また各地で独自に発展している祭りを見れば、先人たちが祭りをどのように考え、それをどのように表現してきたのか、そこにその土地の個性も見つけることができるのではないかと思います。

Long Lasting Festival in TOYAMA

Bugs and *Nebuta*

By Daizaburo Sakamoto (*Yamabushi*)

When most people think of *Nebuta*, they probably imagine the colorful festival of Aomori, with its nighttime parades of dazzling electric lights. They might be surprised to hear that Toyama has its own version: the Namerikawa *Nebuta-nagashi*.

In fact, festivals called *Nebuta* or something similar are fairly widespread. In Memorandum of Annual Events, folklorist Kunio Yanagida cited numerous examples of Nebuta and argued that they represented a kind of ritual in which people focused their weariness and their mental and physical impurities into bamboo stalks that they then cast away into rivers and seas.

What really piqued my interest in the Namerikawa *Nebuta-nagashi* was how it's carried out. A huge, cylindrical torch several meters long—the *Nebuta*—is constructed out

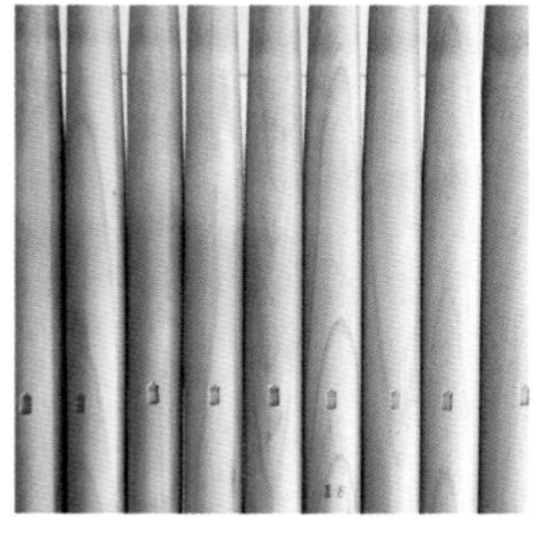

その土地のデザイン

富山もよう

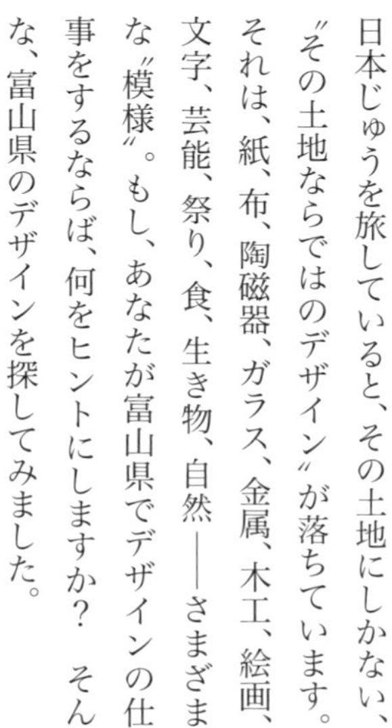

日本じゅうを旅していると、その土地にしかない、〝その土地ならではのデザイン〟が落ちています。それは、紙、布、陶磁器、ガラス、金属、木工、絵画、文字、芸能、祭り、食、生き物、自然——さまざまな〝模様〟。もし、あなたが富山県でデザインの仕事をするならば、何をヒントにしますか？　そんな、富山県のデザインを探してみました。

Designs of the land

TOYAMA patterns

As you travel around Japan, you will come across designs unique to the land that can only be found there. Patterns like paper, cloth, pottery, glass, metals, woodwork, paintings, calligraphy, performing arts, festivals, food, animals and nature. If you are a designer in Toyama, where can you get hints? We searched for Toyama designs that can serve as hints.

富山
越中
紙
SINCE 2011
ケロリン
Manufactured by
Naigai Yakuhin Co.
Toyama Japan
新ぴた
第3類医薬品
T&T
TOYAMA
工
藝
Toyama
Art
Directors
Club
2021
Latticework
BREWING
Tap House

富山定食

相馬夕輝(あいまゆうき)
(d47食堂ディレクター)

※左下から、時計回りに

【バイ飯】
居酒屋の定番「バイ貝の煮付け」。バイ飯は、漁師飯として食べられている。

【まるやま】
少しゆるく固めたがんもどきに、出汁をかける。報恩講料理の定番。

【はぜ麹の甘酒】
麹の甘味がやわらかく体に浸透する。「石黒種麹店」の甘酒。

【ホタルイカの沖漬け】
新鮮なホタルイカの澄んだ旨味が凝縮。「愛場商店」製。イカの「黒作り」など珍味も多い。

【大門素麺】
富山の練り物を代表する昆布巻き蒲鉾をのせていただく。

※中央

【ホーキンのよごし】
プチプチとした食感で畑のキャビアとも呼ばれるホーキン（とんぶり）の実。胡麻の風味と相性がいい。

料理　内藤早紀（d47 食堂）
写真　山﨑悠次

散居村という美しい暮らし

富山の食をもう一度巡る機会に恵まれ、「いただきます」と思わず合掌した。なぜなら、富山はお米（ご飯）が、とにかく美味しい。美味しいご飯のある県には、何度でも通いたくなるものだ。立山連峰など雄大な山々から流れる豊富な水を活かした米づくり。農地の近くに家を建て、その周りに納屋や鶏小屋を作り、その周りをぐるっと屋敷林を植えた、富山の砺波地域に代表される「散居村」という暮らしの在り方が、深い田んぼの緑の中に、ぽつりぽつりと続く姿は、本当に美しく、米をつくり、生きてきた人間の営みの結晶のようだ。

売薬文化と精進食で、身も心も浄化される呉西の食

県内ほぼ中央に位置する呉羽山は、富山県を西と東に大きく文化的に分ける。西は、氷見や高岡、内陸の砺波地域に及び、東は、魚津や黒部、朝日町と続く。今回の富山取材の最初に訪れたのは西側から。

仏教の由来を持つ「報恩講料理」を、地元の

TOYAMA's "Home Grown" Meal

By Yuki Aima (Director, d47 SHOKUDO)

Above photo, clockwise from the bottom left:
Baimeshi **(water snail cooked with rice):** Broiled water snails are a popular dish at pubs.; ***Maruyama*:** A soft deep-fried tofu fritter in *dashi* broth. A standard *Hoonko* cuisine dish.; ***Haze-koji amazake*:** The gentle sweetness of koji seeps into the body.; **Firefly squid *okizuke*:** Bursting with the pure umami of fresh firefly squid.; ***Okado somen*:** Enjoyed with kombu seaweed-roll fishcakes, an iconic item of Toyama's surimi products.; ***Hokin yogoshi*:** *Hokin*/ Tonburi is summer cypress seeds with a popping texture, sometimes called field caviar.

The beautiful life of dispersed settlements
I am drawn to prefectures that have delectable rice, and Toyama is one, with its abundant water flow from majestic mountains such as the Tateyama Range. The Tonami region is iconic for its dispersed settlements—a lifestyle of (→p. 135)

料理人である「gonma」の中川裕子さんや、郷土料理店「農家レストラン大門」でいただいた。だし汁に溶き卵などを寒天で固めた「ゆべす」をはじめ、間引き菜などを使う日常食の「よごし」。ちなみによごしとは、茹でた野菜を味噌や胡麻などで汚すようにして和えることから、その名が付いたなど、諸説いわれがあるようだ。また、がんもどきや、ひりょうずに似た、お椀を埋め尽くすようなもったりと大きな豆腐料理の「まるやま」といった個性的な精進料理。さらに、農閑期の冬仕事として作られている「大門素麺」や、海も近い富山の〝練り物食文化〟の特徴的な、「昆布巻き蒲鉾」など、どれを食べても、体がみるみると浄化されていく思いがした。

また、富山は日本一湿度が高いことでも知られ、冷涼多雪な冬と、高温多湿な夏を繰り返す。その気候が発酵にはとても適していて、「石黒種麹店」のように北陸で唯一麹のもとを販売する店もある。しっかりと麹菌がつくことを「はぜる」と言うらしいが、米の中にも外にも全て含んでいることを「総はぜ麹」とも。その麹でできた甘酒や味噌は、どれも体の細胞がまるで水を得るような感覚の素晴らしい味わいだった。富山市内には、麦芽水あめを製造する「島川あ

snowy winters and muggy summers. This climate is perfect for fermentation, and Ishiguro Tane-Koji-Ten is the only store in Hokuriku that sells seed *koji* malt. Rice that has bred *koji* to its core is called *so-haze-koji.* Amazake and miso made with this were exquisite and nourished my cells. Shimakawa Ame-Ten in Toyama City makes malt syrup, which is said to be nutritious like *amazake*.

The fresh taste of Goto seafood

In Asahi-machi, Sakae Shokudo serves broth from cod bones and liver for a tasty meal. When fish-sellers visited from western cities, locals would serve *gojiru*, a fish bone broth with soybean curd.
Nearby Aiba Shoten procures huge firefly squid from fishermen to marinate or smoke. These burst with umami because of the location, as seafood can be processed while fresh.

Despite being my second summer visit, there is still much to share. With delicacies of other seasons, it seems infinite. A "home grown" meal of Toyama you'd want to partake of again and again is ready.

相馬 夕輝　滋賀県出身。D&DEPARTMENTディレクター。47都道府県に、ロングライフデザインを発掘し、発信する。食部門のディレクターを務め、日本各地に長く続く郷土食の魅力を伝え、生産者を支援していく活動も展開。また、d47食堂の定食開発をシェフとともに担当し、日々各地を巡る。
Yuki Aima　Native of Shiga prefecture. Representative Director of D&DEPARTMENT INC. He established D&DEPARTMENT which uncovers long life designs in the 47 prefectures of Japan and transmits information of such designs. He is also serving as director of the Food Department, and develops activities to convey the appeal of regional cuisine that has a long tradition in all parts of Japan and to support producers. He is also in charge of set meal development in the d47 SHOKUDO together with chefs, and frequently travels to various regions.

め店」もあり、甘酒も然り、どちらも食べる点滴といわれ、売薬文化のある富山だけに、自然由来の食養生文化も多いのかもしれない。

呉東の新鮮な海の味

呉東の新潟との県境にある朝日町には「栄食堂」という、たら汁の食堂がある。大きなアルミ鍋に、鱈のアラや肝の出汁がよく利いて、朝ごはんには格別の味。また、昔は氷見や金沢など西側から魚を売る行商がやって来たらしく、地元では、同様にアラで出汁を取って、おからを入れた呉汁などでおもてなしをしたそうだ。

近隣には、漁師から直接買い付けた、新鮮で立派な大きさのホタルイカを、沖漬けや燻製にしている「愛場商店」がある。澄んだ旨味の凝縮した味わいは、新鮮なうちに加工できる、この土地ならではだろう。

二度目の夏の富山ですら（前回も夏の取材だった）、まだまだ伝えきれない食文化があった。これに冬の寒ブリなど別な季節の食材も加えたとすれば、どこまで豊富な文化だろうか。何度でも「いただきます」と手を合わせたくなる富山の定食が出来上がった。

building a home near farmlands and surrounding this with homestead woodlands.

With a culture of medicine-peddlers and vegetarian cuisine, the Gosei diet that cleanses the mind and body
Located right about in the middle of the prefecture, Mt. Kureha broadly divides the cultures of Toyama by east (Goto) and west (Gosei).

I partook of *Hoonko* cuisine, which has its roots in Buddhism, by local cook Yuko Nakagawa at "gonma" and by Noka Restaurant Okado. Dishes included *yubesu* (agar gelatin of *dashi* and egg), and the household dish *yogoshi* made with vegetable thinnings, thought to be named so because boiled vegetables are "dirtied (*yogoshi*)" by miso or sesame seeds. One unique vegetarian dish is *maruyama*, made with a large piece of tofu that fills up the bowl and is similar to a deep-fried tofu fritter. Others are *Okado somen*, which is made by farmers during the winter off-season, and *kombu* seaweed-roll fish-cakes—an iconic item of the surimi product culture of Toyama. Toyama is known to be the most humid in Japan with its

富山特産
八尾和紙

富山県のCD

日本酒厳選店「DOBU6」の店主・土肥明さんが、前回であえて選ばなかった4枚目の“富山らしいCD”。満を持してご紹介します。

幸せの鐘が鳴り響き 僕はただ 悲しいふりをする

ブランキー・ジェット・シティ
(UNIVERSAL MUSIC JAPAN 2,934円)

4枚目の“富山県のCD” 1992年型の、真っ白いマークII、走り続ける、エンジン火を噴くまで～レディース&ジェントルマン、転がり続けるパンク人生！ 富山市出身のタイコ叩き中村達也！と、リングアナウンサー風に紹介しましたが、当然赤コーナー。彼のドラムは、全身を使って生きていることを確認しているのか、何かをブッ壊そうとしているのか、それとも戦なのか、と考えていると、ブランキーは、ゴジラとラドンとモスラであり、3匹でキングギドラに挑んでいくという映画の話を思い出しました。というわけで、青コーナーは、キングギドラでした。さて、アルバムの話に戻ります。僕がまず最初に驚いたのは、やはり3人の女装姿です。次に、ロサンゼルスで録音された楽曲でした。ジャジーで、アコースティック色が濃く、聴けば聴くほど奥が深い曲ばかり。例えるならば、ホタルイカの丸干しを、銘酒「白緑」で流すかのよう。ぜひ、聴いてくださいませ。

CDs of TOYAMA

Akira Doi, proprietor of fine sake shop DOBU6, presents his long-awaited pick for the essential “Toyama CD” – one that didn't make the cut last time.

Bells of Happiness Ring and I Just Pretend to Be Sad
Blankey Jet City (Universal Music Japan, ¥2,934)

The essential “Toyama CD”
Whenever I saw Blankey drummer and Toyama native Tatsuya Nakamura banging on his drums, like he was fighting some epic battle, it made me imagine Blankey as Godzilla and Radon and Mothra going up against King Ghidra in the movies. The first thing that struck me was, of course, the cover with all of them dressed in drag. The second was the songs. They were jazzy, with a strong acoustic flavor. The more you listened, the more you discovered. It was perfect, like some nice dried squid washed down with a fine *Shiromidori*.

棟方志功全集
6 詩歌の柵（2）
講
棟方志功全集
5 詩歌の柵（1）
講
棟方志功全集
4 花鳥の柵
講
棟方志功全集
3 神々の柵（2）
講
棟方志功全集
2 神々の柵（1）
講
棟方志功全集
1 物語の柵
講

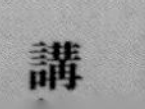

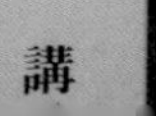

富山県の本

元郵便局の建物にある「ひらすま書房」。『BOOK DAY とやま』の運営にも携わる店主・本居淳一さん厳選の“富山らしい一冊”。

どこにでもある
どこかになる前に。
〜富山見聞逡巡記〜

藤井聡子
（里山社 2,090円）

街をつくる「人」の魅力　富山の若者は、「富山には何もない」と感じがちで、私も大学進学を機に富山を出た一人だ。『どこにでもある どこかになる前に。』の著者・藤井聡子さんも、そんな風に富山を離れ、都会を目指した。本書は、東京からUターンした筆者が、変わりゆく富山の街に、戸惑いながらも個性的な人たちと出会い、富山での第二の青春を見つけていくエッセイ。富山の珍スポットを紹介するライター「ピストン藤井」としても活躍する彼女の文章は、独特の言い回しで軽快で読みやすく、一気に引き込まれてしまう。再開発で街の魅力が失われそうでも「そこに人さえいれば何とかなる」と、言うように、そこに集う人たちの思いで街はどんな風にでも変化することができる。都会的になろうとも、思いを持った人がいなければ富山らしさは生まれない。そんな富山らしさを探し出し、伝えていく。富山に何もないのではなく、アンテナを張り巡らせれば何でもあるのだ。

Books of TOYAMA

Junichi Motoi, owner of post office-turned-bookstore Hirasuma Shobo, offers his expert opinion on the quintessential Toyama book.

Before It Becomes a Place Like Any Other: Observations and Hesitations from Toyama
Satoko Fujii (Satoyamasha, ¥2,090)

It's the people that make the town
Like me and many other natives, Satoko Fujii left Toyama for the big city when she was young. In this collection of essays, she reflects on her return to the place of her birth; the changing town; the quirky people she meets; and how she gradually comes to feel young again. Writing in a distinctive yet accessible style, Fujii explores what gives Toyama its unique character: it's the people, their hopes and desires, that have the power to transform Toyama into whatever they choose.

編集部が本音でお薦めしたい

富山県のおみやげ

1

3

2

4

1. ディレクターズチェア　家のベランダでも立山のキャンプでも大活躍。専用バッグが、そのまま背もたれになるアイデアはさすが。 22,000円 **KAKI CABINET MAKER** 富山県富山市粟巣野（本宮2-3） ☎076-482-1433 Director's Chair ¥22,000 **KAKI Cabinet Maker** Awasuno, Toyama, Toyama

2. AKEBONO LIGHT　日本酒にしては、ゆる過ぎるイラストが、正直です。誰でも、氷見の地酒と地魚を気軽に楽しめる。 720ml 1,650円 **高澤酒造場** 富山県氷見市北大町18-7 ☎0766-72-0006 Akebono Light 720ml ¥1,650 **Takasawa Brewery** Kita-omachi 18-7, Himi, Toyama

3. サンシャインウイスキー プレミアム　北陸唯一のウイスキー蒸留所から、昔ながらのラベルデザインのスモーキーな1本。ハマります。 300ml 1,089円 **若鶴酒造 三郎丸蒸留所** 富山県砺波市三郎丸208 ☎0763-37-8159 Sunshine Whisky Premium 300 ml ¥1,089 **Wakatsuru Saburomaru Distillery** Saburomaru 208, Tonami, Toyama

4. 立ち雛一輪挿し／堀道広　富山県出身の漫画家・堀道広さんは、実は、漆の作家でもあって、その作風はとてもユニーク。 8,250円 **水と匠** mizutotakumi.jp ☎0766-95-5170 Doll-shaped Vase by Michihiro Hori ¥8,250 **Water and Artisans**

5. Taroma　製薬会社が作ったアロマシリーズ。富山での体調管理は、薬ではなく、これからは、アロマテラピーだ。 ※HP参照 **Healthian-wood** 富山県中新川郡立山町日中上野20-1 ☎080-3525-8964 Taroma *See website **Healthian-wood** Nitchu-uwano 20-1, Tateyama-machi, Nakaniikawa-gun, Toyama

6. 氷見コンカラー油　氷見に伝わる発酵食品「こんかいわし」を、使いやすくラー油風調味料にアレンジ。何にでもかけます私。 110g 980円 **つりや東岩瀬** 富山県富山市東岩瀬町120 ☎076-471-7877 Himi Anchovy Rayu Chili Oil 110g ¥980 **Tsuriya Higashi Iwase** Higashi-iwase-machi 120, Toyama, Toyama

7. クッション　和紙のクッション!? 最初は耳を疑いましたが、かれこれ8年使って、今も現役。丈夫で趣もあります。 8,800円 **桂樹舎** 富山県富山市八尾町鏡町668-4 ☎076-455-1184 Washi Paper Cushion ¥8,800 **Keijusha** Kagami-machi 668-4, Yatsuo-machi, Toyama, Toyama

8. 越中富山 幸のこわけ　富山県で根づく"お裾分け文化"をお土産に。まずは試しに、いろいろ味わっちゃいましょう！ 各356円〜 **富山県いきいき物産株式会社 幸のこわけ事業部 越中富山お土産プロジェクト** 富山県富山市新富町1-2-3 CiC1F（とやま） ☎076-444-7160 Etchu Toyama "Sachi no Kowake" Sample Packs Starting at ¥356 each **Etchu Toyama Souvenir Project** CiC 1F (To Toyama), Shintomi-cho 1-2-3, Toyama, Toyama

9. Bottle origin　ガラス作家・木下宝さんによる空き瓶のアップサイクルシリーズ。編集部はセイズのワイン瓶をチョイス。 ※参考商品 t-simpleglass.com/ Bottle origin *Sample products

10. Coffee Jar　ガラスだけでなく、鉄のパーツも自作。圧倒的なセンスが集結した、まるでアート作品のようなジャー。 28,500円 **流動研究所** 富山県富山市婦中町富崎4717-1 www.peterivy.com/ja/ Coffee Jar ¥28,500 **Peter Ivy Flow Lab** Tomisaki 4717-1, Fuchu-machi, Toyama, Toyama

Photo : Yuji Yamazaki

koffe
our roastery
青空
specialty coffee beans
14
Wood
Carving
Cookie
Wood
Carving
Cookie
Green Tea
Flavor
抹茶
Wood
Carving
Cookie
Wood
Carving
Cookie
Roasted Tea
Flavor
ほうじ
Wood
Carving
Cookie
Citron
Flavor
ゆず
11
FIVE
GOKAYAMA
TOYAMA JAPAN
15
16
N°2
N°1
POT-POURRI
CHARDONNAY
MATIN et ETOILE
SAYS FARM
N°3
POT-POURRI
GARDEN
MATIN et ETOILE
SAYS FARM
12
syouryu
17
13

11. 食べる彫刻クッキー　文字通り、食べる彫刻……ですが、実は、食べるのが惜しくてまだ全部食べていません！　4箱セット　4,500円　**季の実**　富山県南砺市山見1001　☎070-8463-0619
Wood Carving Cookies　Four-box set　¥4,500　**Kinomi**　Yamami 1001, Nanto, Toyama

12. POT-POURRI No.1〜No.3　STAYに宿泊した際に、部屋にあったポプリ。ワイナリーの葡萄の枝などを材料に、センスよくデザイン。　各1,609円　**セイズファーム**　富山県氷見市余川字北山238　☎0766-72-8288　POT-POURRI No. 1 – No. 3　¥1,609 each　**SAYS FARM**　Aza-kitayama 238, Yokawa, Himi, Toyama

13. 靴べら　年に一度の大開放日に合わせて新作を発表する、真鍮の生活用品ブランド「FUTAGAMI」。2021年は……　5,500円　**FUTAGAMI**　www.futagami-imono.co.jp　☎0766-23-8531
Shoehorn　¥5,500　**Futagami**

14. 青空ブレンド　曇り空の多い富山県の"青空"を願ったミディアムローストブレンド。気持ちも晴れやかになる。　200g　1,188円　**koffe**　富山県富山市舟橋南町10-3　☎076-482-3131
Aozora Blend　200g　¥1,188　**koffe**　Funahashi-minami-cho 10-3, Toyama, Toyama

15. FIVE MEMO ROLL GRAY　毎日のスケジュール計画に重宝したロールメモ。和紙の繊維が意外にも真っ直ぐ切れて使いやすい。　105mm×15m　715円　**五箇山 和紙の里**　富山県南砺市東中江215　☎0763-66-2223・2403　Five Memo Roll Gray　105mm x 15mm　¥715　**Gokayama Washi no Sato**　Higashi-nakae 215, Nanto, Toyama

16. ミニ干支シリーズ 福うし　毎年、林ショップのご主人がデザインしてきた、この世で最も素朴で重厚な干支人形。2021年は丑。大・黒　6,050円　**大寺幸八郎商店**　富山県高岡市金屋町6-9　☎0766-25-1911　Mini Zodiac Series: Ox　Large, black　¥6,050　**Otera Kohachiro Shoten**　Kanaya-machi 6-9, Takaoka, Toyama

17. すずがみ 13×13　おりんの製作工程の「金鎚で叩く」からヒントを得て生まれた、錫のプレート。使い方は「自由」。　13cm×13cm　3,025円　**syouryu（シマタニ昇龍工房）**　富山県高岡市千石町4-2　☎0766-22-4727　Tin Paper 13x13　¥3,025　**Syouryu**　Sengoku-machi 4-2, Takaoka, Toyama

18. 栃プレート 拭き漆　「野原銘木店」で選び抜かれた材料を、地元の職人たちが協業して制作。新しいまちのクラフト土産。　26cm　14,000円　**季の実**　富山県南砺市山見1001　☎070-8463-0619　Hand-lacquered Horse Chestnut Wood Plate　26cm　¥14,000　**Kinomi**　Yamami 1001, Nanto, Toyama

19. 大門素麺　生産者の氏名が刻印されたパッケージは、奇を衒っていないが故に、ロングライフデザイン。　※価格不定　**となみ野農業協同組合**　富山県砺波市矢木25-1　☎0120-234-803　Ookado Somen Noodles　*Price varies　**Tonamino Agricultural Cooperative**　Yagi 25-1, Tonami, Toyama

20. pook　柚子もブルーベリーも苺も珈琲も県産。富山で生まれた新食感"YUBESHI"！ 宮田裕美詠さんデザイン。　15個入り　864円　**薄氷本舗 五郎丸屋**　富山県小矢部市中央町5-5　☎0766-67-0039　pook　15pieces　¥864　**Usugohri Hompo Gorou maru-ya**　Chuo-machi 5-5, Oyabe, Toyama

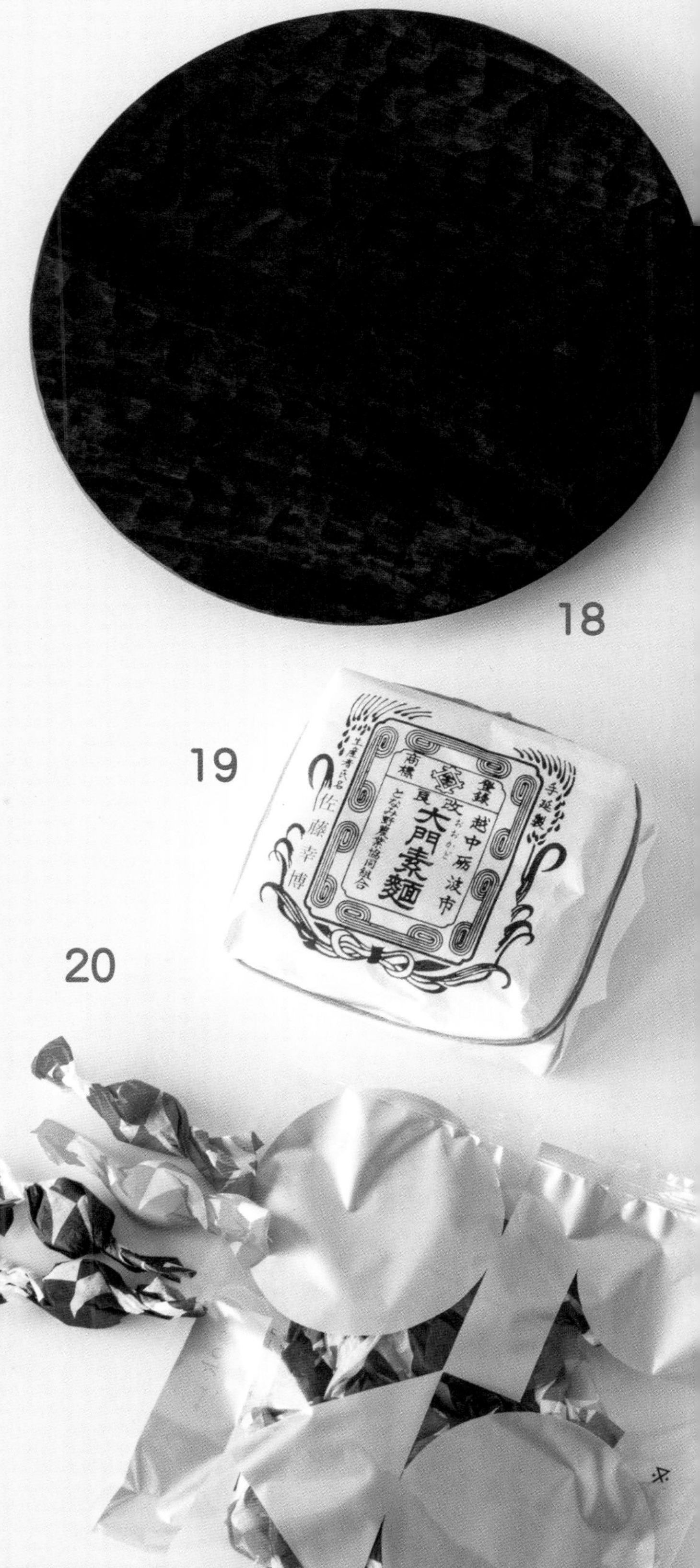

d design travel 編集長が語る、パートナー企業のこと

LIST OF PARTNERS

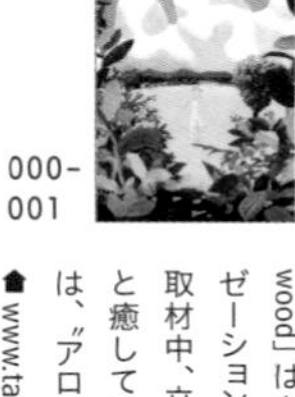

000-001

Taroma／前田薬品工業株式会社　製薬会社が作った、ブルーのパッケージが爽やかなアロマシリーズ。立山町の「Healthian-wood」はもちろん、富山市にあるリラクゼーションスパ「The Spa by Taroma」では、取材中、立山縦走で疲れた体を、たっぷりと癒していただきました。富山売薬の次は、〝アロマ〟です。

● www.taroma.jp

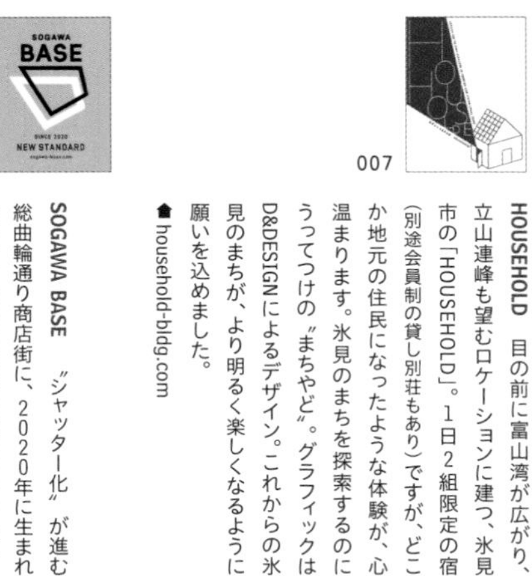

007

HOUSEHOLD　目の前に富山湾が広がり、立山連峰も望むロケーションに建つ、氷見市の「HOUSEHOLD」。1日2組限定の宿（別途会員制の貸し別荘もあり）ですが、どこか地元の住民になったような体験が、心温まります。氷見のまちを探索するのにうってつけの〝まちやど〟。グラフィックはD&DESIGNによるデザイン。これからの氷見のまちが、より明るく楽しくなるように願いを込めました。

● household-bldg.com

008

SOGAWA BASE　〝シャッター化〟が進む総曲輪通り商店街に、2020年に生まれたモダンな商業施設。珈琲やクラフトビール、肉や魚と、富山県を中心に美味しい食材が集結。フードコートとしても利用でき、訪れるだけでワクワクする、この町の〝あたらしい日常〟があります。総曲輪の未来を担う、近代的憩いの場。

● sogawa-base.com

010

純喫茶ツタヤ　市内電車が行き交う西町交差点角にある1923（大正12）年創業の老舗喫茶店。自動車愛好の4代目・宇瀬崇さんが、不定期で開催しているクラシックカーの展示日には、まちも賑やかになります。そんな西町の仕掛け人でもある4代目をモチーフに、D&DESIGNがデザイン。朝から営業しているので、ぜひ行ってみてくださいね。

● www.tsutaya-coffee.com

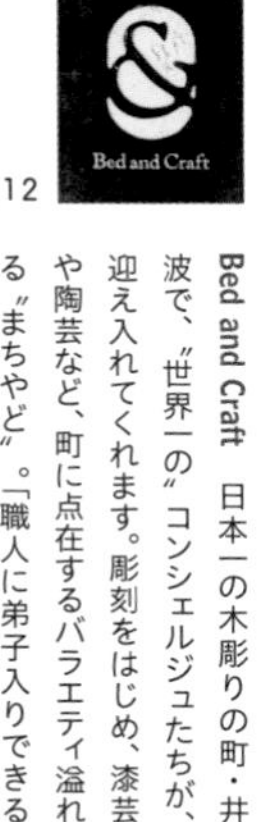

012

Bed and Craft　日本一の木彫りの町・井波で、〝世界一の〟コンシェルジュたちが、迎え入れてくれます。彫刻をはじめ、漆芸や陶芸など、町に点在するバラエティ溢れる〝まちやど〟。「職人に弟子入りできる宿」と聞いて、俄然、創作意欲が湧きました。D&DESIGNによる、渾身の手彫り版画で、メインロゴをビジュアル化。

● bedandcraft.com

193

FUTAGAMI／株式会社二上　1897年創業の真鍮の鋳物メーカーが立ち上げた生活用品ブランド。鋳肌の質感を活かした無垢のプロダクトは、〝ずっしり〟とした存在感があり、カトラリーや照明器具など、富山県内の飲食店や宿泊施設でもよく見かけます。毎年新商品が発表される予定なので、ファンならずとも、要チェックです。ちなみに、編集部の愛用品は、栓抜き。

● www.futagami-imono.co.jp

Back Cover

BRUNO／ダイアテック株式会社　京都に本社を構える、自転車の製造・卸会社。スイス人のブルーノ・ダルシー氏と共同開発した小径車「BRUNO」に乗って旅をする編集部「お気に入りの一本道」を連載中。今号は、合掌造りの古民家が建つ越中五箇山「相倉集落」を駆け抜けました。そして、待望のe-bike（電動アシスト自転車）も登場。これで険しい坂道も楽々突破！

● www.brunobike.jp

D&DEPARTMENT D&DEPARTMEN

デザイナーのゆっくりをききたい

連載 47

ふつう

「民藝とデザインが融け合う」

深澤直人

中川原信一さんはあけび蔓細工の名工だ。2015年の日本民藝館展の審査の際に、彼が編んだ衣類籠が目に留まった。「ああデザインがいい」と直感的に思った。民藝とも工芸とも言えない、デザインとしての魅力を感じたのだ。館展の審査は、陶磁器や織染め、漆工や木工や竹細工や籠などの分野別に分かれ、まず入選作を選び、その中からそれぞれの審査員が、分野を問わず自分が日本民藝館賞に相応しいと思うものを持ち寄り、その場の投票で一点を決めるというやり方をしていた。

私が館長になって、初めて参加した日本民藝館展の審査会だった。私は館長であるし審査委員長でもあったのだが、民藝や工芸の専門的な知識があったわけでもなく、熟達した技法や仕上がりから名品を選ぶことはできなかった。もしかするとその知識のなさが直感的に魅力あるものを選ぶことに繋がったのかもしれない。他の審査員からは私が持ち込んできたあけび蔓の衣類籠はやや唐突に思われたかもしれないし、新人館長でもあったのでむしろ「理屈なくいいでしょ」という態度を示したかったような気もするし、気負いもあった覚えがある。しかし、この籠が、その年の日本民藝館賞に選ばれたの

Futsuu **(Normal): A Fusion of** ***Mingei*** **and Design**

Shinichi Nakagawara is an artisanal weaver who works in *akebi*, or chocolate vines. When I was judging at the 2015 Japan Folk Craft Museum Exhibition, a clothes basket he wove caught my eye. "Now this is good design," I thought, instinctively. It wasn't quite *mingei*, and it wasn't quite *kogei* (industrial art). But I could sense the innate appeal of its design. The judging at the exhibition was divided into categories: ceramics, woven and dyed textiles, wood and lacquer works, bamboo works, and so on. First, we selected a group of finalists, and then each judge picked one item from any category he or she thought was worthy of the best award and cast his or her vote for it.

It was the first exhibition I'd participated in since becoming director of the museum. As director, I was also head of the judging committee. But it wasn't as if I had any special expertise in *mingei* or *kogei*, and I was in no position to judge the entries by their technique or workmanship. Perhaps it was my lack of expertise that led me to make my choice based on instinctive appeal. To the other judges, my choice of the *akebi* clothes basket might have (→p. 151)

である。審査員の皆さんの同調が得られて私はとても嬉しかった。

民藝とか工芸とかデザインを分けて考えるのではなく、いいものとしてものを見ていくことは大切だと思う。しかしもちろん民藝や工芸は、工業デザインと違って手仕事で一品一品作り込んでいくので時間もかかり数多く作れない。それがデザインとは違う魅力を放っているということはある。ただ、ものを作る技を持った人のことを職人と呼び、デザイナーとは呼ばなかった。だが中川原さんのような名工と呼ばれる人は作りながらデザインをしているのだ。むしろ作れるからデザインができるといってもいい。名工にはセンスがいる。ただ作れるだけではいいものはできない。館長の審査中には、「よくできている」という技を褒める言葉を何度も聞いた。その「よくできている」の言葉の中にはデザインも含まれているということがわかってきた。反対に「仕事はいいんだけどね〜」という落胆の言葉には、技は優れているが魅力がないという意味が含まれていた。

審査の後で中川原さんがあけび蔓細工で有名なことを知った。あけび蔓細工職人はもう少なくなり絶えてしまうのではないか、とも聞いた

akebi artisans left, and the art may disappear. Nakagawara has had a long career: he started going into the mountains with his parents to gather vines at an early age, and became an artisan after graduating junior high.

But he only makes something as big as a clothes basket once or twice a year.

I couldn't forget that basket, and in 2019, I asked him to make one for me.

I knew exactly where I'd put it: on the shelf of my Boffi closet. Boffi is an Italian brand known for simple yet high-quality kitchens and baths; I'd worked with them on several projects. Their Milan showroom was forceful in its minimalism: a breathtakingly beautiful and powerful space seasoned with antiques and *mingei* objects.

A graceful, handmade *mingei* clothes basket was the perfect match for such a cool, rich space.

It was the ultimate fusion of *mingei* and design.

Normally, most people probably think of *mingei* and design as two different things. But really they're the same—two good, normal things that bring out the best in each other.

深澤 直人　プロダクトデザイナー。世界を代表するブランドのデザインや、国内の大手メーカーのコンサルティング等を多数手がける。2018年「イサム・ノグチ賞」など、国内外での受賞歴多数。著書に、『Naoto Fukasawa EMBODIMENT』（PHAIDON出版）、『ふつう』（D&DEPARTMENT出版）など。2012年より、「日本民藝館」館長。
Naoto Fukasawa　Product designer. Fukasawa has designed products for major brands in Europe, America and Asia. He has also worked as a consultant for major domestic manufacturers. Winner of numerous awards given by domestic and international institutions, including 2018 Isamu Noguchi Award. He has written books, 'Naoto Fukasawa EMBODIMENT' (PHAIDON). 'Futsuu'(D&DEPARTMENT). Since 2012, he is the Director of Nihon Mingei-kan (The Japan Folk Crafts Museum).

ことがある。彼は両親と共に幼い頃から山に入り蔓採りをし、中学を卒業後にあけび蔓細工を始めたというから歴史は長い。

しかし衣類籠のような大きなものは年に1、2個くらいしか作らないらしい。

2019年、あの衣類籠のことが忘れられず、ご本人にお願いして作ってもらうことになった。

使う場所はもう決まっていた。イタリアのBoffiのクローゼットの棚の上だ。Boffiは上質でシンプルなキッチンとバスがメインのブランドで、私もいくつかのプロジェクトを手がけていた。ミラノのショールームはミニマルで強かった。ため息が出るような美しく迫力のある空間にアンティークや民藝がスパイスとして使われていた。

クールでリッチな空間に手仕事のやわらかい民藝の衣類籠はよく似合った。

これこそ民藝とデザインとの融合だった。

民藝とデザインは融け合う。ふつう、民藝とデザインは違うものだと思っている人は多いと思う。でもそれは同じもの。いいふつう同士はお互いの魅力を引き立て合う。

seemed to come out of nowhere. And I suspect part of me also wanted to show them that as director, I didn't need a reason. Whatever the case, I went all in, and the basket won the Japan Folk Craft Museum Prize. The other judges concurred with my selection, and that was very gratifying to me.

Rather than thinking in terms of categories like *mingei* and *kogei*, I believe it's important to view things in terms of their quality. Of course, unlike industrial design, *mingei* and kogei items are handmade; they take time and can't be produced in large quantities. It's what causes them to exude a kind of charm that's a little different from design. Yet those who have the skills to make things, we call craftsmen, not designers. Those we call artisans, on the other hand, like Nakagawara, both make and design. In fact, it's fair to say they're able to design because they're able to make. It takes artistic sense to be an artisan. Just because you can make things doesn't mean you can make good things. During the judging, I heard the words "well made" countless times. I came to understand that "well made" also meant "well designed." By contrast, "The workmanship is good, but…" meant a piece was technically well done, but lacked that charm.

After the competition, I learned that Nakagawara was famous for his *akebi* weaving. I've heard that there are few

The Kitchen
The Table

47 REASONS TO TRAVEL IN JAPAN

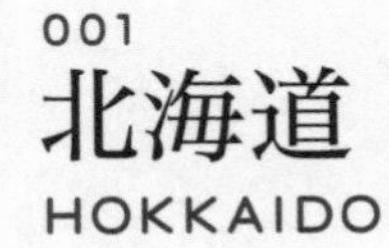

001
北海道
HOKKAIDO

オケクラフトセンター森林工芸館
北海道常呂郡置戸町置戸 439-4
0157-52-3170
okecraft.or.jp

作り手を育み、伝え、交流する場所　1983年、置戸町（おけとちょう）で工業デザイナーの秋岡芳夫氏による講演を機に誕生した地域クラフトブランド「オケクラフト」。北海道産の木材を使用して手仕事の担い手を育み、長く愛用できる木工品を生み出している。「オケクラフトセンター森林工芸館」はその中心施設として1988年に開設。研修制度「オケクラフト作り手養成塾」の研修場所である工房や、ブランド誕生時からの資料を集めた展示室、誰もがオケクラフトに触れられるショップが併設されている。隣接の「どま工房」には、秋岡氏が国内各地から集めた手仕事道具の資料が保管・展示されているほか、パントリー（台所）や、かまど、畳敷きの研修室などが備わる。秋岡氏が名づけたという「どま」には、昔の農家にあった土間のように何気ない会話が飛び交う交流の場となることが意図されている。（中井彩子／ D&DEPARTMENT HOKKAIDO）

002
青森
AOMORI

yamaju
青森県十和田市奥瀬十和田湖畔休屋486
yamaju-laketowada.jp

消費されない観光地の仕組み　日本の中でも指折りの美しい水質を持つ、十和田湖の湖畔にある「yamaju」。この湖畔のエリアには、サマーバケーションを楽しむためのレストハウスが、昭和の時代にたくさん建てられたが、客離れが進み、今は廃屋も多くなっている。「yamaju」はその一棟を、4泊以上の「中長期滞在者専用」（メンバー登録制）のコワーキングスペース兼ゲストハウスとしてリノベーションして生まれた。そもそも、かつてのレストハウスは「夏の間だけ観光地化する」商売になっていた。オーナーの小林徹平さんと恵里さん夫妻は、その消費される観光地のありかたを見直し、働きながら、暮らすように滞在する現在の仕組みを提案している。「連泊することでこそ、十和田湖が持つ自然の本当の魅力を感じてもらいたい」という想いをぜひ体感してほしい。（岩井 巽／東北スタンダード）

004 宮城 MIYAGI

七ヶ宿焼 無限陶房
宮城県刈田郡七ヶ宿町猿11-4
0224-26-8290
mugentobo.tumblr.com

七ヶ宿の自然を映した器　宮城県の最南西部、福島県と山形県に接する、七ヶ宿町に工房を構える「無限陶房」。東日本大震災の復興の一助となるべく、2018年、宮城県に縁があった京都の陶芸家・近藤高弘氏のプロデュースの下、県内外から集まった地域おこし協力隊が、技術を学び、作陶している。七ヶ宿で採れる良質な粘土、登り窯を焚くための赤松を使い、「墨流し」という古来の技法を用いて誕生したブランド「七ヶ宿焼東北炭流し」。東北の雪解けを映した、白と黒の器は、静物でありながら、生き生きとした水の流れを感じさせる動的な器だ。協力隊の一人である石田浩康さんは、愛知から移住し、デザインやPRも担当、焼物を通して町の魅力も発信している。山菜の天ぷらやたけのこご飯など、旬の食材を盛り付け、器ごと自然を味わいたい。（渡邉壽枝／d47 MUSEUM 事務局）

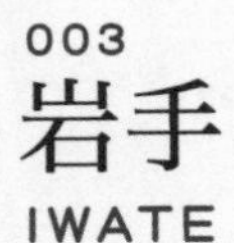

003 岩手 IWATE

高田松原津波復興祈念公園
国営追悼・祈念施設
岩手県陸前高田市気仙町土手影180
0192-22-8911
takatamatsubara-park.com

東日本大震災の記憶と伝承の場　高田松原は白砂青松の風光明媚な砂浜で、夏になると海水浴で多くの人が集う場所だった。しかし、東日本大震災で「奇跡の一本松」だけを残して津波で破壊された。2019年、多くの思い出が詰まった場所に「プレック研究所・内藤廣建築設計事務所設計共同体」による「高田松原津波復興祈念公園　国営追悼・祈念施設」が完成した。「大屋根のファサード」から見えるシンメトリーな空間が圧巻。津波が来た海を真正面に、遠くに見える防潮堤には「海を望む場」がある。犠牲者に思いを馳せながら敷地内の「祈りの軸」を歩くと、この地の景観を大きく変化させた津波の圧倒的力への畏怖を感じる。防潮堤の階段を上り切ると、広田湾と、再生する松原を眼下に望むことができる。2021年5月に松の苗木の植栽を終え、砂浜の再生も完了し、公園と砂浜が共有できる人々が集える場所となった。人の営みと自然が共存する復興の定点観測の場となることだろう。（熊谷太郎／La Jomon）

006
山形
YAMAGATA

長井ブルワリークラフトマン
山形県長井市泉677-11
0238-87-1600
nagai-brewery.co.jp

風土を語る、クラフトビール　芸術活動を行ないながら、クラフトビールをつくる村上滋郎さん。彼は京都からUターンし、山形県長井市を拠点にクリエイティブ活動を行なう傍ら、風土を伝承する新たな形として「長井ブルワリークラフトマン」を設立。「ビールの研究は、パレットの上でどんな色を作ろうか考えている時と似ている。山形に戻ってきた時、地元を流れる最上川を描きたいと思った。地域に根付き、地に足の着いたアクションを起こすことに意味があると思っている。風景を描くように、山形の食材や風土を語れるビールを作っていきたい」と話す。ひょう（スベリヒユ）・くきたち（アブラナ科の野菜）・秘伝豆のきなこを副原料とした定番シリーズはどれも絶品。中でも、きなこは黒蜜をかけると甘みが際立ち、感動を2度味わえる。山形を感じられるクラフトビールを、家でゆっくり味わってもらいたい。（荒井優希／東北芸術工科大学学生）

005
秋田
AKITA

合名会社栗林酒造店
秋田県仙北郡美郷町六郷米町56
0187-84-2108
harukasumi.com

上・左下／Photo：Yoma Funabashi

湧水の里で「美郷（みさと）」を表現する蔵元　「春霞（はるかすみ）」は秋田県の若き蔵元集団「NEXT5」の一つ。2010年に結成した彼らは共同醸造を開始し、技術を磨き上げ、日本酒業界を席巻し話題の中心に居続けている。蔵元兼杜氏の栗林直章さんは「新政」「山本」「ゆきの美人」「一白水成（いっぱくすいせい）」の他のメンバーの中で独特の存在感を放つ。酒蔵は、いろいろな品種の米や清酒酵母を使って、バリエーションを出そうとするが、「栗林酒造」は、生産の8割に秋田県独自の酒米「美郷錦」を使用し、9号酵母を中心とした商品ラインアップで勝負をしている。アナログレコードの収集が趣味だけに、レコードの持つ幅の広い優しい細やかな音と同じような味わいを上手く表現していると思う。日本酒は「水」「米」「酵母」からできるが、造る人の個性が現れる。栗林さんは「美郷錦」の特徴を引き出す名手だ。（熊谷太郎／ La Jomon）

008 茨城 IBARAKI

KURA SAUNA
茨城県結城市結城183
0296-47-5680
(Coworking & Café yuinowa)
yuinowa.jp

「KURA SAUNA」と結んだ縁　茨城県結城市で、僕ら「YUI PROJECT」が運営する「Coworking & Café yuinowa」。この春、敷地内の土蔵をリノベーションし、サウナを運営する森清隆氏と早川修平氏のコンビが加わった。彼らとの出会いは2020年6月。結城市に縁もゆかりもない彼らが、この地に飛び込み、サウナ事業に挑戦する姿を見て、僕たちも応援せずにはいられない。熱源に薪ストーブを使い、内装は珪藻土の柔らかなリラクゼーション空間。水風呂は地元・味噌屋さんの仕込樽に、醸造業が盛んな結城を下支えしてきた、井戸から汲み上げた15度前後のまろやかな伏流水がたっぷり入る。今後は協働イベントの開催や、商品開発など、近隣商店との縁を結び、伴走型支援を続けていきたい。街の環境と結び付きながら、「KURA SAUNA」は進化し続ける。(飯野勝智・野口純一／yuinowa)

007 福島 FUKUSHIMA

もりのかぜ・らぼ／Branch
福島県郡山市富久山町
南小泉江ノ上142-1
024-953-8705
www.facebook.com/morinokaze2

美味しい、楽しい、自然との調和　郡山市の田んぼ道、車を走らせていると、彩り豊かな草花たちが、風になびいているのが見えてくる。その場所は「もりのかぜ・らぼ」。家庭菜園やガーデニング文化の根づく福島で、「自然土木」という考えのもと、自然に倣った菜園作りのレッスンや、地元の自然栽培農家の見学などを行なう。併設している「ヴィーガンカフェ・Branch」では、菜食ではない人でも満足できるメニューが揃い、特に、ソフトクリームはファンも多い。オーナーの佐久間直美さんは、物事の本質へ好奇心の尽きない人。ラボやカフェを通し、学びや共感体験を大切に育てながら、「美味しい、楽しいがあれば、大体ハッピー」と言い切る軽やかさ。肥料や殺虫剤を使った菜園作りが普及すると、土地の力はどんどん失われてしまう。本当の意味で自然に寄り添い調和する暮らしをここで見た。(大浪優紀／olto)

010

群馬
GUNMA

本町しもたや
群馬県高崎市本町120-1
027-395-4124
www.shimotaya.net

歩きたい街の拠点　高崎駅から少し離れた本町（もとまち）周辺は、車社会の群馬県では珍しく、駐車場を持たない店舗が続々とオープン。高崎市街地のユニークな不動産を扱う「まちごと屋」が管理する「本町しもたや」もその一つ。大正時代創業の調剤薬局だった建物は、1階に「伊東屋珈琲高崎店」が入り、2階は会員制シェアリビングとして稼働。通り土間、小上がりの和室、急な階段。祖父母の家を思い出した。2階に間仕切りはないが、見事に空間構成されている。程よい暗さが保たれ、隠れ家のようで落ち着く。この日は「おすそわけです」のメモと、菓子折りが置かれていて、シェアリビングの醍醐味（だいごみ）を垣間見た。ここより徒歩数分のビルには、シェアジム「しもたやGYM」も開業。近くには気の利いた飲食店数軒と、僕の行きつけの書店もある。車を停めて「本町しもたや」を拠点に、高崎を歩いて堪能してみたい。（土屋裕一／ suiran）

009

栃木
TOCHIGI

GOOD NEWS
栃木県那須郡那須町高久乙2905-25
0287-62-2100（バターのいとこ）
butternoitoko.com

生み出す・伝える複合施設　「GOOD NEWS」には、「森林ノ牧場」のソフトクリームスタンドや、建築不動産の「那須造園」、ウェディングプロデュースの「AW Design」など、那須朝市を通して共に活動してきた地元の5社が集まる。その一つ、「バターのいとこ」の製造工場は就労支援施設の一面も持つ。施設利用者や地元の主婦などが、それぞれの働き方で出勤している。作られるゴーフルやドーナツは併設のカフェで提供されるほか、購入から3〜5か月ほど待って届く、ちょっと特殊なオンラインショップの運営も行なう。地域課題を事業として仕組み化するのは簡単なことではない。でも、この気持ち良い空間で、美味（おい）しいスイーツを味わうことで、私たちも地域経済の循環の一つになれる。消費のあり方を気持ち良く考えさせてくれる場所だ。（黒江美穂／ D&DEPARTMENT PROJECT）

012
千葉
CHIBA

gris souris
千葉県千葉市稲毛区稲毛台町12-12
043-239-7819
www.instagram.com/grissouris_inage

稲毛のぬくもり　「gris souris」は手仕事のもの、暮らしの日用品を販売する。千葉大生四畳半アパートであった築60年の物件に、図工室の椅子や図書館の本棚、福岡クランクマルチェロのアンティーク鏡。千葉房総エリアは、都心部に比べ住宅の密集度が低いため、都心部から移住して制作活動を行なうガラス作家が多いという。九十九里「PRATO PINO」や、浦安で活動する稲葉知子さんのガラス、千葉出身・直井真奈美さんの陶器、木更津「かずさ燻製工房」の燻製オリーブオイルなどが並ぶ。「グリスーリ」は、そんな作家同士や店に訪れるお客さんたちを繋ぐ拠点だ。「これ美味しいのよ。これはこう使うの」とお喋りが止まらない。飯島里奈さんの〝好き〟がちゃんと伝わり、ついつい買って試してしまう。新しいもの古いもの、足し引きするバランスを感じに、またすぐに行きたくなる。（上杉智恵／百貨店バイヤー）

011
埼玉
SAITAMA

角川武蔵野ミュージアム
埼玉県所沢市東所沢和田3-31-3
0570-017-396（ところざわサクラタウン）
kadcul.com

上／© 角川武蔵野ミュージアム

地球が建築になった石の建築の頂点　「角川武蔵野ミュージアム」は、武蔵野および郊外の再定義を行なう。図書館・美術館・博物館を融合した文化複合施設で、館長の松岡正剛氏は、施設のコンセプトを「まぜまぜ」とした。設計デザインを監修した隈研吾氏は、武蔵野台地が隆起したような建物を所沢に出現させた。中に入ると、本物と偽物、ハイカルチャーとローカルチャーが、まさに“まぜまぜ”になっており、「武蔵野とは何か？」を問いかけられる。全体を周るうちに、無条件に脳みそと身体をかき混ぜられる体験だ。『d design travel SAITAMA』で、「埼玉には未来のデザインがありました」と、ナガオカケンメイ氏は編集長後記で語ったが、その言葉を象徴する場ができたと言える。「ダサイタマ」といわれた時代は終わりを告げ、この後、埼玉はまっすぐ進む。（加賀崎 勝弘／ PUBLIC DINER）

014

神奈川

KANAGAWA

巧藝舎
神奈川県横浜市中区山手町184
045-622-0560
www.kogeisha-yokohama.com

世界の美しい民藝　異国情緒漂う港街・横浜の山手に静かに佇む「巧藝舎」。かつては芹沢銈介をはじめとする民藝の重鎮たちも度々訪れた場所だ。世界各国から収集された手仕事の品々を前に、興じられた重鎮たちの談話やまなざしから、店主である小川能里枝さんは“ものの見方”を学び、今に伝える。暮らしの中に生まれ、歳月を重ね使われ続けた手仕事品には、民族の繁栄や家族の健康を願う祈りとともに、その土地に生きる人々の暮らしぶりが美しい色や形となって映し出される。生活様式の変化や技術の進歩により、多くのものが消えゆく中で、もののまわりにある文化や暮らしに目を向け、尊ぶこと。僕は時々「巧藝舎」を訪ねては、ものを通して見るべき大切なことを教えてもらう。重鎮たちが過ごしたこの場所で、小川さんが伝えてくれる世界の美しい民藝の話を聞きながら。（原田將裕／茅ヶ崎市役所）

013

東京

TOKYO

BookTeaBed IZUOSHIMA
東京都大島町元町2-3-4
04992-7-5972
book-tea-bed.business.site

読書を楽しむ旅の拠点　昭和時代に伊豆大島へ訪れる客を迎えてきた旅館を、2018年にリノベーション。ホテル「BookTeaBed IZUOSHIMA」は元町港からのアクセスも良く、ビーチまでは徒歩5分という利便性から夏には海水浴を楽しむ宿泊客も多い。1階にはビジネス書、観光ガイド、文庫本、洋書、漫画から児童書に至るまで、話題になった本がずらりと並ぶ。気になった本を部屋に持ち込み、読書が楽しめるのが嬉しい。カフェは宿泊客以外でも利用でき、旅人と地元の人の憩いの場となっていた。伊豆大島の名産を使った「くさやホットサンド」に興味を惹かれつつも、島唐辛子を使った「甘辛ホットサンド」を注文。時にピリッとした辛さが口に広がるのを楽しんだ。スタッフは大島出身者に加え、大島が好きで移住した人も多い。地元ならではの島の楽しみを教えてくれる宿。（松崎紀子／DESIGN CLIPS）

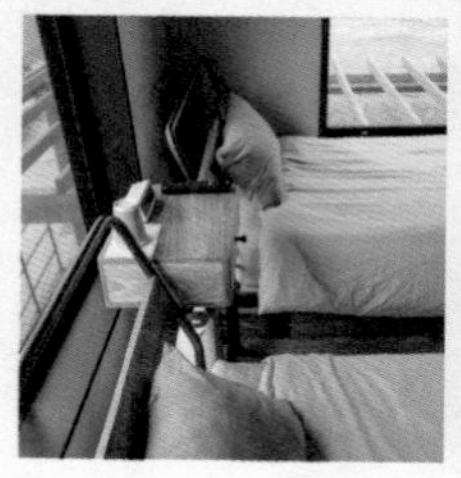

016
富山
TOYAMA

尾山製材株式会社
富山県下新川郡朝日町荒川630
0765-83-2220
www.oyamaseizai.com

木を大切に扱う製材屋　朝日町に工場を構える「尾山製材」。原木の買い付けから製材を行ない、長年障子・襖(ふすま)を製造する建具屋向けに、材木を販売している。木を大切に使いたいという3代目・尾山嘉彦さんは、本来であれば捨てられてしまう虫喰いの楢材を使い、「RetRe(リツリ)」という商品ブランドを富山で活躍するデザイナーの山崎義樹さんと共に作った。製材と乾燥は尾山さん自身が行ない、販売している。「RetRe」は、木を切った後の木目や虫喰いの"模様"を想像し、材面の表情が綺麗(きれい)に見えるまで丁寧に時間をかけて作るという。また木を長く大切に使い続けて欲しいと木工用のみつろうクリームも製造し販売もしている。木のことを知り尽くし、使う用途や、物によって材を提案できる尾山さんのもとには、建具屋以外に県内外から多くの作家たちが訪れている。（岩滝理恵／D&DEPARTMENT TOYAMA）

017

石川

ISHIKAWA

中谷宇吉郎　雪の科学館
石川県加賀市潮津町イ106
0761-75-3323
yukinokagakukan.kagashi-ss.com

溶けない熱意と探求心　世界で初めて人工雪を作り出すことに成功した物理学者・中谷宇吉郎。生誕の地である加賀、柴山潟の湖畔に建つ「中谷宇吉郎　雪の科学館」を訪れて記憶に残ったのは、六角形の雪の結晶を模した磯崎新氏設計の建物と、遠く白山を眺める雄大な景色。館内で開催される雪や氷を題材にしたさまざまな実験に、夢中になって参加する子どもたちの姿も、印象的だった。「雪は天から送られた手紙である」という言葉を残した中谷宇吉郎は、飽くなき探求心により、肉眼では見ることのできない雪の結晶に、儚い美を見つけた。自然を愛し探求し続けることで、形のないものの中にも、美しさや楽しさを見出すことができるというメッセージを、中谷宇吉郎はこの場所を訪れる多くの子どもたちに届けている。それは、空から送られた無数の手紙への返事でもあるように、僕には思えた。（原田將裕／茅ヶ崎市役所）

015

新潟

NIIGATA

一菱金属株式会社
新潟県燕市燕21-1
0256-63-7211
conte-tsubame.jp/

使う人に長く寄り添う道具づくり　燕市の杭州飯店で背脂ラーメンを食べた後は、歩いて数分の「一菱金属」の新社屋へ。業務用の厨房用品を作っていた同社が、使い勝手の良いステンレスの台所用品「conte」を、デザイナー・小野里奈さん、一人問屋・日野明子さんと共に世に出してから5年。「自分たちが作った製品を伝えていく場所が欲しかった」と専務の江口広哲さん。ショールーム、事務所、工場、倉庫を兼ね備えた建物はNIIZEKI STUDIO 設計のCLT工法で建てられた。黒塗りの建物は遠目からも異彩を放つが、中に入ると金属製品を木が優しく包み込む印象だ。ショールームでは、展示台を兼ねた長さ8メートルを超える大きなキッチンで、商品を試し、購入できる。現在は月に一度「暮らしの道具店」として開店。燕三条での立ち寄り先がまた一つ増えた。（山田 立／燕三条旅行会社「株式会社つくる」）

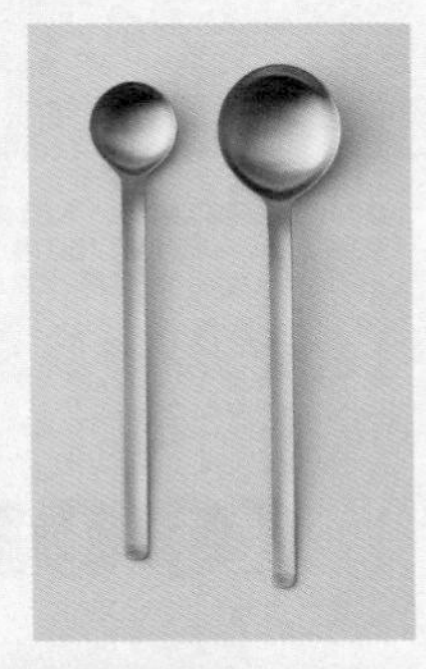

019

山梨 YAMANASHI

HERBSTAND
☎080-7758-9531
www.instagram.com/herbstand/?hl=ja

食文化を繋ぐ「HERBSTAND」 富士山信仰と機織りで栄えた富士吉田。富士講の登山者をもてなした御師文化では、川が重要な役割を持ち、街中の至る所で、川の力強い流れと清らかな水の印象を受ける。平野優太さんと真菜実さんご夫婦は「富士山の水でハーブを育てたい」と20代で移住、「HERBSTAND」を展開する。富士山に近い富士吉田のハーブは、強い香りを持つ。その昔、生薬を植えていた土地だったので、クロモジや山椒などの和ハーブもある。「HERBSTAND」が監修する和ハーブティーは市内の「SARUYA HOSTEL」で購入できる。御師料理のお母さんの十八番おむすびは「山椒の佃煮」、山椒と唐辛子を基にした「すりだね」という吉田うどんの薬味。それら和ハーブは郷土料理に欠かせないもので、ハーブで文化を繋ぐ平野さんの活動に注目したい。(植本寿奈/つづくをたべる部)

018

福井 FUKUI

岡太神社・大瀧神社
福井県越前市大滝町13-1
☎0778-42-1151

全国で唯一、紙の神様を祀る神社 和紙の里として知られる越前市旧今立地区。ここに紙祖神・川上御前を祀る「岡太神社・大瀧神社」がある。もともと、川上御前によって村人へと紙漉きの技術が伝えられたのをきっかけに、約1500年にわたり越前和紙が作られ続け、和紙の一大産地となった。岡太神社・大瀧神社にある里宮の本殿と拝殿は江戸時代に建てられており、波打つような屋根や繊細な彫刻は精巧かつ複雑な造りで、重厚感がめちゃくちゃ格好いい。さらに、岡太神社・大瀧神社では毎年「神と紙のまつり」という里宮まで神様をお迎えする春の例祭があり、3日間に及ぶこのお祭りの期間中に「神輿渡り」と呼ばれる、川上御前のご神体を乗せた神輿の押し合い圧し合いが見られる日がある。日頃、紙漉きをされている職人さんたちが、神輿を担いで激しくぶつかり合う姿は圧巻の迫力で目が離せない。(新山直広/TSUGI)

021
岐阜
GIFU

ル・モンド
岐阜県岐阜市殿町1-4
058-263-6036

愛しき喫茶店　喫茶文化が根づく岐阜市では、ひと息つこうと思えば、コーヒーをブレンドと呼ぶ昔ながらの純喫茶に、自家焙煎コーヒー豆の専門店、1杯のドリンクにおにぎりや茶碗蒸し、麺類、フルーツと豪華なモーニングが付くカフェまで、選択肢に事欠かない。だが、わざわざ出かけたい贔屓の喫茶店がある。1975年創業の「ル・モンド」。世界各国の珍しいヴァリエーションコーヒーが揃い、中でもマスターの長谷川増雄さんが、アルコールランプを手に、目の前でパフォーマンスとともに提供してくれるアイリッシュコーヒーが名物だ。古き良き昭和の面影を色濃く残すテーブル席。ソファに柔らかな陽射しが溢れる。カウンターではサイフォンがポコポコと音を立て、コーヒーの香りが漂う。まるで映画のワンシーンを切り取ったかのような世界観には、マスターの美学が貫かれている。（高野直子／リトルクリエイティブセンター）

020
長野
NAGANO

木の生活道具 MWC.WORKSHOP
長野県長野市中条日高1529-1
080-5108-8992
www.mwcworkshop.com

木の可能性を追求した生活道具　四方を山々に囲まれた自然豊かな長野市西部の中条地区。晴れた日には美しい北アルプスが望める。この地で工房を営む木工作家のコバヤシユウジさんは、木の持つ可能性を追求し、現代の暮らしに欠かせない道具を生み出している。器、家具、インテリア小物、アクセサリーなど、さまざまなラインアップがあるが、私が特にオススメしたいのは、お椀や箸といった食に関わる生活道具。ご本人も食にはこだわりがあり、使用シーンやイメージする食材などを常に意識しているようだ。木の種類もメープル、ウォールナット、チェリーなどさまざまな表情があり、味わいを感じさせる。美味しいものを素敵な木の器で食べられることは、慌ただしい毎日に安らぎと潤いを与える。展示会や販売イベントもしているので、作り手のこだわりが感じられる生活道具をぜひ使ってほしい。（轟 久志／トドロキデザイン）

023
愛知
AICHI

金山ブラジルコーヒー
愛知県名古屋市中区金山4-6-22 1F
052-321-5223
kanayamabrazil.boo.jp

もう一つの顔を持つ老舗喫茶店　名古屋駅に続く、第2のターミナルエリアの金山駅から程近くに店を構える、2021年で創業50年を迎える「金山ブラジルコーヒー」。厚切りトーストやピザトースト、ホットドックなどのお得なモーニングにランチ、売りの自家焙煎コーヒーだけでなく、ハンバーグやナポリタンなど食事メニューも豊富に揃えた、名古屋らしい喫茶店として、地元の方々に長く愛されている有名店だ。そんな魅力もさることながら、ライブスペースとしても活用され、定期的に音楽イベントや店内展示を開催。アンダーグラウンドな文化を発信し続け、感度の高い若者からも注目を集めている。古き良き喫茶店としての顔、新しい文化発信のライブスペースとしての顔、老若男女問わず支持されるこの場所は、チェーン店の立ち並ぶ金山の街の中で、一際異彩を放っていると言えるだろう。（山田藤雄／フリーランス）

022
静岡
SHIZUOKA

スイートハウスわかば
静岡県伊東市中央町6-4
0557-37-2563
izufull.com/wakaba/

変わらない日常の釜炊きソフトクリーム　アイスキャンディーや、アイスまんじゅうを手作りする喫茶店として1948年に創業。現在も店内の大きな釜で、看板メニューのソフトクリームを手作りしている。太めに巻かれた形が特徴で、夏はあっさり、冬は少し甘めにと、季節に合わせて味を調整している。現地で「地元では家族分を箱に入れて持ち帰るのが定番」と教えてもらい、実際に私も宿泊先に持ち帰って楽しんだ。不思議と溶けにくく、近所であればそのままの形で持ち帰ることができる。地元出身の友人も、帰省すると必ず食べたくなると言う。観光地の伊東は街並みの変化も大きい中、変わらずにあることが故郷に帰ってきたことを思い起こさせてくれる。家族のお祝い事や、学校帰り、夏祭りなど、幼い頃からのさまざまな思い出のシーンに登場するソウルフード。
（黒江美穂／ D&DEPARTMENT PROJECT）

025
滋賀
SHIGA

佳山
滋賀県大津市逢坂 1-14-8
077-576-8458
otsu-kasen.com/

本格日本料理をカジュアルに　同級生がお店を出したと聞き訪れたのは、東海道にあった古代の関所、逢坂の関跡近く、百人一首でお馴染みの蝉丸を祀った、関蝉丸神社隣りの日本料理「佳山」。古民家をリノベーションした、居心地の良い空間で味わえるのは、京都の名店「浜作」など京都で20年以上腕を振るった、店主・安江洋造さんの本格割烹料理。茶道の心を大切に、茶事に供される茶懐石をベースとする料理は、地元の旬の食材を生かし、伝統的な器や、琵琶湖の真珠母貝から作られた小皿や、箸置きを合わせることで、安江さん独自の世界観が作り出される。〆でいただく土鍋で炊いたご飯と、ふかふかのだし巻き卵を目当てに、他府県から訪れる客の姿も。カウンター席に座り、歴史に造詣の深い店主の話を聞きながら、逢坂の関をたくさんの人が往来していた時代に思いを馳せるのも、この店の楽しみ方の一つ。（杉山知子／神保真珠商店）

024
三重
MIE

鳥羽市立 海の博物館
三重県鳥羽市浦村町大吉1731-68
0599-32-6006
www.umihaku.com

海にまつわる文化を体感しよう　旅館や民宿が立ち並ぶパールロードを進み、脇道を下っていくと「海の博物館」がある。国道から少し奥まったその場所では、静寂さと落ち着きを感じる。この博物館の建物は、内藤廣氏による設計。「海にいきる海民」をテーマに、映像や模型などを交えながら、海にまつわる豊富な資料を存分に味わえる。海産物が豊富なこの土地では、昔から漁業が身近な存在だった。幼少期の頃、海まで歩いて行けば、海女小屋で暖を取る海女さんたちが、仲良く談笑している光景をよく見た。その光景は今でも鮮明に思い出す。館内で過ごすと、懐かしさを感じながらも、初めて目にする物も多く、実は知らなかった新しい発見に、あっという間に時間が過ぎるのを感じる。観光客はもちろん地元の人たちにも、ゆっくりと時間をかけて楽しんでほしい特別な場所だ。（田畑知著／D&DEPARTMENT MIE）

027 大阪 OSAKA

LONE STAR
大阪府泉佐野市栄町4-13
072-461-1444
www.facebook.com/Lonestarosaka-375248525824365/

ホップ畑を持つビアバー　関西国際空港に程近い、泉南と呼ばれる地域にあるテキサス＆メキシコスタイルのビアバー「LONE STAR（ロンスター）」。1990年創業の年季の入った店構えは、アメリカ文化が好きな人にはたまらないはず。アメリカと日本国内のクラフトビールを常時約50種揃え、週替わりで常時4種の生クラフトビールが楽しめる。本格的なテキサス＆メキシコ料理以外に、泉南名産の玉ねぎを使ったバーガーなどオリジナルメニューも。自らホップの畑を持ち、毎年オリジナルビールを製造・販売している。日本のブルワリーを招きイベントを開催、生産者とお客さんを繋（つな）ぐ場を提供している。静岡のクラフトビール"ベアードビール"の創業者はこの店で働いていた経歴を持つ。これからも日本でのクラフトビールの発展に貢献し続けてほしいバーだ。（石嶋康伸／ナガオカケンメイのメール友の会・管理人）

026 京都 KYOTO

本と野菜 OyOy
京都府京都市中京区烏丸通姉小路下ル場之町586-2 1F
075-744-1727
oyoy.kyoto

心と体が満たされる本と野菜の店　2020年、シアトル発の「Ace Hotel」が京都に上陸。その1階に「本と野菜 OyOy」がある。本屋でありながら、新規就農者と連携して野菜を販売。農薬や化学肥料に頼らず、100年先も続く農業ができる社会を目指した、京都の会社「坂ノ途中」と、本の校正校閲を主に行なう「鷗来堂」が運営している。外からも目を引く店内の大きな本棚には、食を中心とした約3000冊の書籍が並び、同じ空間で季節の有機野菜や厳選された調味料も販売されている。併設のレストランでは、季節ごとの野菜を味わえる食事が提供される。そこまで広くはない店内で、ここに集う人々が、気持ちの赴くままに本を手に取り、旬の野菜を味わう。慌ただしい日常の中で自分自身と向き合い、移ろう季節を感じられる空間だ。（那須野由華／D&DEPARTMENT KYOTO）

029
奈良
NARA

ひとともり
奈良県奈良市福智院町1-3
0742-26-8668
hitotomori.net

泊まれる設計事務所　奈良市の東、山手側に「ひとともり」一級建築士事務所はある。通り土間の奥に坪庭が備わる町屋の中には、三つの機能がある。一つは「生姜足湯休憩所」。奈良市は歩いて楽しい街なので、ついつい歩いてしまう。そんな時、ここの生姜足湯で疲れを癒すのがお薦めだ。二つ目は「宿一灯」町屋の2階部分を、宿として提供。設計事務所の主・長坂純明さん設計で、町屋の風情を残しつつ、控えめな手入れが施され、品を感じる空間だ。三つ目は、設計事務所「ひとともり」。大手建設会社を辞め、独立開業した長坂さんの設計事務所として、坪庭の奥の空間を改修している。1階には10畳ほどの和室があり、レンタルスペースの機能も果たしており、地元の人たちが活用している。外から来る人と、地域の人が適度に混ざり合うこの施設は、さながら小さな奈良のようだ。(坂本大祐／オフィスキャンプ)

028
兵庫
HYOGO

books+kotobanoie
兵庫県川西市東畦野山手1-16-18
090-1026-8654
kotobanoie.com

居場所は、本のあるところ　川西市の山間を走る、能勢電鉄の一の鳥居駅で降り、急な坂を登った住宅街の中に「books+kotobanoie」がある。ここは書店でもあり、書店とは別の雰囲気もある。何か目的があってその場所を訪れるというよりは、偶然の本との出会いや、ここに集まる人との出会いを楽しみに、人が人を呼び風通しのいいコミュニティが出来上がっていて、それがなんとも気持ちが良い。店主の加藤博久さんの自宅でもあるその場は、壁という壁は全て本棚で、プライベートスペースさえも本棚で区切られた、本に囲まれた空間。訪れた人はそれぞれ気になった本に視線を落としたり、たまたま居合わせた人と話したりと自由に過ごす。人々が集いオープンな言葉と心を交わし合い、その余韻を本と一緒に連れて帰る。本のあるところがみんなの居場所になっている。(小菅庸喜／ archipelago 店主)

030

和歌山

WAKAYAMA

松原時夫の写真集『水辺の人』

pub.michi-oto.com（出版社「道音舎」）

和歌山の宝　「和歌山」という地名の由来でもある海辺の町「和歌浦」。約1300年前、聖武天皇がその風景の美しさに感動し、この地を守るようにと詔を出した場所だ。「ここは日本初の国立公園みたいなものですね」と穏やかに話すのは、和歌浦に住み、約70年この町を撮り続ける写真家・松原時夫さん。これらの写真を2021年に地元の出版レーベルである「道音舎」が、写真集『水辺の人』として出版した。1955年〜1969年にかけて撮影された、和歌浦の海辺や漁港の美しい風景と、海に抱かれて生き生きと暮らす人々が、自然と共生する様子が、美しいモノクロのフィルム写真で表現されている。今後は、新たなテーマで第二部・三部も出版予定。「変わってしまった場所もあるが、こんないい場所はいくら撮っても撮り切れない。死ぬまで撮り続けます」と、松原さんは笑顔を見せた。（武田健太／ Wakayama Days）

031

鳥取

TOTTORI

HAKUSEN

鳥取県東伯郡湯梨浜町旭127-2

0858-32-1033

hakusen-store.site

多様な個性の混ざり合い　県内有数の温泉地と、二十世紀梨の産地として知られる湯梨浜町。東西に長く伸びる鳥取県の中央に位置し、日本海を望むまちには、海水と淡水が混ざり合う汽水湖が広がる。旅の途中に降り立った、山陰本線の「松崎」という小さな駅。周辺を歩けば、ゲストハウスや本屋など、まちの魅力を惹き立てるいくつかの場所を見つけることができる。その一つ、湖のほとりに建つカフェが「HAKUSEN」。窓から眺める、汽水湖の水面や対岸の建物、山の景色が絶妙なバランスで、湯梨浜町らしさを感じる。地域に点在する個性は、人々の暮らしの中で時間をかけて混ざり合い、まちの魅力や風景となってゆく。その個性は多様であるほど面白い。この地域の人々が手を取り合って醸し出す、美しいまちの風景を、一杯のコーヒーを飲みながら、僕は時間を忘れて眺め続けた。（原田將裕／茅ヶ崎市役所）

033
岡山
OKAYAMA

FUKKOKU 回収デニムプロジェクト
岡山県倉敷市児島唐琴町1421-26（DENIM HOSTEL float）
086-477-7620
ito-nami.com

みんなでつくるデニム　『d design travel OKAYAMA』で出会った“デニム兄弟”こと「ITONAMI」の山脇耀平さんからお声がけいただき、参加したデニム製品の回収プロジェクト「FUKKOKU」。デニム製品を全国各地で回収、糸の状態に戻し、再び生地として織り上げるという企画だ。「倉敷紡績株式会社」の反毛（はんもう）技術を用い、デニム生地を製作。オリジナル製品をつくるほか、回収拠点とのアイテムも出来上がる予定だ。最初に掲げた1000本の回収目標に対し、最終的に集まったのは約100か所の回収拠点で4000本ほど。重量は1トンにも及んだという。2021年秋にはデニム生地が完成する。これまでに彼らが47都道府県を巡り、繋（つな）がった動きは、岡山のデニム産業の発信としても緩やかに継続してほしい活動だ。（門脇 万莉奈／ d47 design travel store）

032
島根
SHIMANE

NU
島根県松江市白潟本町33 3F
nurecords.jp

音楽を接点に　音楽との出会いが少ないこの街で「NU」は希少な場だ。いわゆるバーやクラブとも何かが違う。「大義名分があるわけではなく、ぼんやりと楽しいことをして今に至る」と語るのは、「NU」を切り盛りする飯塚博さん。老舗（しにせ）ジャズバー「ぽえむ」の跡地から始まり、現在は裏通りにある歴史的建造物の3階へ。「どこでも来る人は来るし、来ない人は来ないので」と飯塚さんは笑う。この気負わなさも居心地の良さだ。イベントは年齢もジャンルも多様で、若者が踊り狂う時もあれば、場末のスナックのような哀愁が漂う夜も。客層が幅広いのは、思想や枠を押し付けないからこそ。音楽を接点に遊べればそれでいいのだ。「どこにも属さない中立地帯」を描いた映画から着想を得た「NU」の名。排他的なわけでなく、いろいろな物が混ざるのに、何にも染まらない。この街で「NU」はその通りの存在だ。
（井上 望／ライター）

石見神樂　東京社中

035

山口

YAMAGUCHI

capanna di CIPOLLA
山口県下関市細江町2-2-10 2F
083-227-4811
www.cipolla0218.com

物の魅力を正しく伝える　海沿いの古いビルを、丸ごとリノベーションした雑貨店には「日常使いができて、少しだけ生活を豊かにしてくれる」を基準に選ばれた物たちが並んでいた。ここでしか買えないトランクやガラス瓶などの古道具。地元の木工職人が作った木のカトラリー、可愛くて個性的なイラストが入ったマグカップなどが並ぶ中、私はリユースガラスを使ったグラスに目が留まった。雑談の中から、店主の中村諭央さんにその物について教えていただき、その背景にある物語や使い方に共感して購入した。「物の本当の魅力に気づかずに見過ごされていることが多い」と中村さんは語っていた。中村さんによって丁寧に選ばれた商品の一つ一つと、この土地で大切に受け継がれてきた物の背景を語る姿に、時代を超えてもずっと色褪せず、使い続けたい「ロングライフデザイン」に通じる想いがそこにはあると感じた。（形山佳之／製造業）

034

広島

HIROSHIMA

噂通りの会
広島県広島市安佐北区可部2-36-1
ホテルリッチ内
082-516-5114（噂通りの会事務局）
www.instagram.com/uwasa_dori

噂通りの〇〇がある町　かつて宿場町として栄え、今なお、酒蔵や呉服店など伝統的な町並みが残る可部。町の玄関口であるJR可部駅の東口と、旧雲石街道を繋ぐ約80メートルの通りが、コピーライター・長谷川哲士氏により「噂通り」と名づけられた。そこには、おでん、酒バル、串焼き、ピッツァ、ビールバーなどが点在し、通りを灯している。仕掛け人のホテルリッチ支配人の大戸由加さんは、個性豊かな店主たちに慕われており、お店それぞれの個性を宿泊客に提供する。まさに人が魅力の「噂通りの面白い町」だ。言葉の力は不思議だ。町の魅力を想像させ、地元の人々も噂をされるようなイベントや商品作りに意気込むようになった。「今後は町屋活用もして噂通りのエリアを延ばしたい」と旭鳳酒造の濵村洋平さん。変わらない良さと新しさが混在するこの町は、噂以上に魅力を増していく。（今田　雅／CARRY on my way 44）

037 香川 KAGAWA

農業工房 かべっこ
香川県さぬき市鴨部6310
0120-650-108
www.facebook.com/profile.php?id=100031453037866

もち麦の美味しさを伝えたい　雨が少ない香川県。そんな温暖な気候を活かし昔から麦の栽培が盛んに行なわれてきた。小麦に加え、大麦も多く生産されていて、弘法大師が唐より持ち帰ったといわれる「ダイシモチ」は、一時期栽培を断念したほど手間のかかる品種だが、近年は栽培を再開させる生産者も増えてきた。さぬき市鴨部地区の「農業工房 かべっこ」は代々栽培したもち麦をイベント出店を中心に販売してきたが、2021年5月にテイクアウト専門店をオープンした。もち麦特有のモチモチ食感とプチプチとした歯ごたえを活かした、おむすびや、おはぎが大人気。もち麦に馴染みのなかった人たちをも虜にしている。「人との気持ちも結んでいけるように、心を込めておむすびを作っていきたい。もち麦の美味しさや食べることの楽しさを伝えたい」と店主の六車亜弥さんは語ってくれた。（やましたかなよ／いりこのやまくに）

036 徳島 TOKUSHIMA

遠近 をちこち
徳島県徳島市上八万町樋口266-1
088-612-8800
www.ochicochi.info

ア・ラ・モードじゃない工藝店　店主の東尾厚志さんの手はいつも藍色だ。「遠近」という、民藝と喫茶のお店をパートナーの智子さんと営みつつ、徳島県藍染研究会に所属し、自らも日々せっせと染に勤しんでいる。お店の壁には、自ら楮の皮を剥ぎ、紙を漉き、藍で染めてつくった和紙が敷き詰められている。このこだわりが店主の性格をよく表している（なかなか面倒な人なのだ）。ロングライフデザインとは、もちろんモノのデザインの話ではあるものの、それを長く受け継いでいくという点では、ある種の偏愛的なこだわりによって可能になる。東尾夫妻の審美眼によって選ばれる衣服、やちむん・小鹿田・出西・砥部・大谷といった民藝の器たち、その器を使って出されるプリンア・ラ・モードや深煎りのコーヒーなど、地元のモノ文化を育てる大切なお店の一つなのだ。（真鍋太一／ Food Hub Project）

039
高知
KOCHI

ユルクル
高知県土佐清水市津呂26-1
050-5583-0806
yurukuru.com

暮らしの知恵を身近に　青柿を搾り、発酵させ、熟成して生まれる天然染料の柿渋。その優れた防虫性や抗菌性を活かし、紙や木、布に塗り、生活資材として、古くは平安時代から幅広く使われてきた。そんな柿渋で染めたリネンを使った物作りをしているのが、「ユルクル」。自分たちが使いたいものを、自然に負担をかけない素材で、長く使えるようにと、丁寧に物作りに向き合う。高知県の南西部、土佐清水市にある工房で、一つ一つ手染めされた布から生み出されるアイテムは、生地や素材ごとに、さまざまな表情を見せ、一つとして同じものはない。「『これ、もう何年も一緒なんだ』と嬉しそうに言ってもらえるような物作りをしていきたい」と、作り手の弘瀬いずみさんは言う。長く使い続けることで、柔らかく、馴染んでいく経年変化を楽しみながら、愛用してほしい。

（坂田 実緒子／地域観光ディレクター）

038
愛媛
EHIME

みんなのコーヒー
愛媛県新居浜市荷内町838
0897-46-5255
minna0410.exblog.jp

日常を豊かにする場所　新居浜市外れの荷内地区、瀬戸内海を望む自家焙煎コーヒー店。元OLで自宅の一角を焙煎所にしていた伊藤淳さんと、医療技師だった平田達也さんがタッグを組み、2013年移転開業。近年、ローカルドラマのロケ地にもなった美しい場所だ。眼前に向かいの島へ渡るフェリーが見え、海岸の清掃は日常のこと。「納得して出したいから」とコーヒー中心のドリンクとチョコケーキのみを提供する。オリジナルは老若男女に愛される「ニナイブレンド」、海上がりをイメージした「海ブレンド」の2種。淳さんが焙煎したコーヒーを、アウトドアやモータースポーツなどを愛する平田さんが淹れ、この場で多様な人が交流し、普段の幸福度を高めている。マリンスポーツのあと一服してから仕事に行く人や、船で来る人も。今年、常連さんが書店「読×舎」を近くにオープン。また、ニナイに通う理由が増えた。

（日野 藍／デザイナー）

041
佐賀
SAGA

TIMERの宿 薪料理&アンプラグド
佐賀県西松浦郡有田町下内野丙2440-4
080-2697-2288
timer-no-yado.weebly.com

自然の一部だったことを思い出す宿　宿に着くと、高岡盛志郎・博子さん夫妻が笑顔で迎えてくれた。一通り部屋の説明を受けると、ロケットストーブで火をおこして珈琲をいただくことになった。デッキで寛(くつろ)いでいる間に、博子さんが薪風呂の準備をする。薪で温まったお湯は、肌に柔らかい。夕食は盛志郎さんの薪料理。食材は地元の農家の方が育てた野菜たち。料理が美味(おい)しいのは、「野菜のおかげ、火のおかげ」と盛志郎さんは言う。デッキで前菜をいただいた後は、盛志郎さんが室内のカウンターで野菜の寿司を握ってくださった。パプリカを鮪(まぐろ)になど、野菜を魚に見立てた寿司が10貫ほど。どのネタも丁寧な仕事がうかがえる。「人と競うのはやめて、食材と競う」自然と共存した料理人の言葉が心に響く。虫の音を聴きながら床に入り、鳥の囀(さえず)りと日の光で目が覚める。自然と人の温かいおもてなしは最高だ。（古賀義孝／光画デザイン）

040
福岡
FUKUOKA

LIFE IN THE GOODS.
福岡県福岡市中央区大手門1-8-11 2F
092-791-1140
www.instagram.com/lifeinthegoods/

主張し過ぎない個性を求めて　食器や花器、絵画など、部屋で毎日目に触れ、手に取る日用品。選定基準は人それぞれだと思うが、私は主張し過ぎず、且(か)つ作り手の個性が感じられるものが好きだ。「LIFE IN THE GOODS.」の店主・羽田裕行さんが紹介してくれるのは、まさにそんな品々。日々の生活に溶け込みつつ、その日の気分の変化にもしっかりと応えてくれる作品たちだ。一連の窓から、福岡城跡の四季が望める店内に、各地の作家を訪ね選ばれた、陶磁器、ガラス、木工などの作品が並ぶ。このディスプレーの間隔が本当に絶妙で、手に取らずとも作品の全容を感じ取れる。時折開催される個展で、まだ知らなかった作り手に出会うことも楽しみの一つ。いつも羽田さんの紹介を聞きながら見るのだが、まるで古くからの親戚のことのように話され、まだ会ったことのない作り手の方をとても身近に感じるのだ。（原 かなた／会社員）

043
熊本
KUMAMOTO

FLAVÉDO par LISETTE
熊本県熊本市中央区水道町4-2 B1
096-327-8444
flavedo.jp/pages/flavedoparlisette

季節ごとに一度は行きたいご褒美　熊本にこんなに美味しい果物が多いなんて、恥ずかしながら知らなかった。スイカや柑橘くらいだろうと思っていたが、季節の移ろいで変わる、さまざまな果物をふんだんに使った、「FLAVÉDO par LISETTE」のパフェで、熊本の果実の魅力を再発見した。東京や大阪を中心にカフェなどを運営しているカフーツが、熊本市上乃裏通りに作ったジャム工房兼カフェだ。パティシエの鶴見 昂さんは、神奈川県から熊本県に移り住み、地元の農家の方々が作るスイカや桃、いちご、河内晩柑などの旬のフルーツを、美しく美味しいパフェとして提供している。また、ソースやドレッシングなど料理にも使えるようにと、果物の可能性を広げたジャムも人気だ。個人的には、この美しく美味しいパフェを食べるのをご褒美に、仕事を頑張るのが楽しみの一つだ。（末永 侑／フォトアトリエすえなが）

042
長崎
NAGASAKI

小川凧店
長崎県長崎市風頭町11-2
095-823-1928

長崎のトリコロール　トリコロールといえばフランス国旗を想像するところだが、長崎ではオランダ国旗を想像する人も少なくはない。長崎には昔も今も、赤、白、青を使いデザインされたものが多くあり、その中でも、江戸時代から続く「ハタ」がある。凧と呼ばずに「ハタ」と呼ぶそのデザインは、オランダの国旗に似た「丹後縞」や、「波に千鳥」「あたまこんにゃく」「でんがく」「袖の香」など、ネーミングのセンスに昔の人の遊び心を感じるものが多く、その種類は2、300種にもなる。さらに、和と洋が混じり合った潔いデザインは、美しく粋だ。実際にハタを揚げて、糸（ヨマ）を弛めたり張ったりすると、手や体に風の力を感じ、忘れていた感覚が蘇る。長崎の空にハタが舞う姿は清々しい。いつまでもこの地に続く長崎のデザインとして、受け継いでいきたい文化だ。（城島 薫／パパスアンドママス）

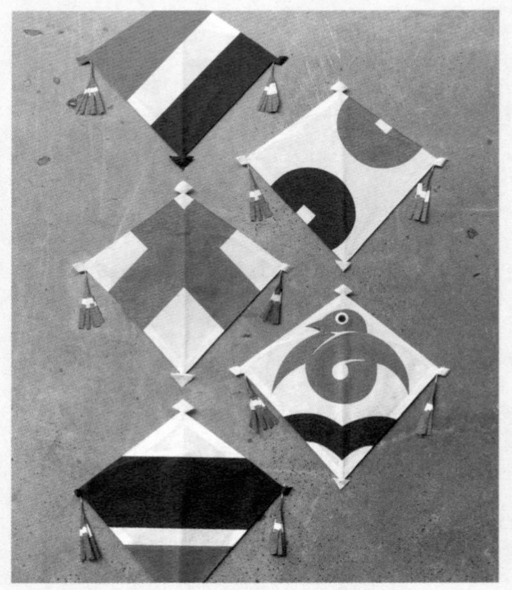

045
宮崎
MIYAZAKI

青島ハンモック
宮崎県宮崎市加江田7245-1
0985-69-6602
aoshimahammock.com/cafe/

時の流れに寄り添う　宮崎で長年愛され続けた遊園地「こどものくに」。2017年、老朽化した遊具が撤去され、広大な芝生公園となった。静まりかえった園内に残された管理棟を利用してオープンしたのが「青島ハンモック」。「この場所でしか味わえない世界観、食事、空間を提供できればお客様は来てくれる。ここはたくさんの人にとって思い出の場所。こどもの国の魅力を伝えることを、使命のように感じている」とオーナーの阿南香織さんは話す。バラ園にあるカフェから、四季折々の草花を眺めながらいただくランチ。地元産のオーガニック野菜にこだわった、色鮮やかな旬の野菜プレートが人気。1階ではオリジナルの手編みハンモックや、青島ハンモックセレクト商品の販売も。ハンモックをレンタルして、ゆっくり過ごすのもお薦めだ。（佐藤ちか子／Ceramic art accessory 千花）

044
大分
OITA

まめのもんや
大分県杵築市大田小野244
090-7396-9339
www.facebook.com/mamenomonya

絶妙なペアリングの、その理由　両子山から南西に少し下った場所、地図で見ると国東半島のほぼ中心にある「まめのもんや」は、「豆」をコンセプトにしたお食事と喫茶の店。大分県と東京都で、さまざまなジャンルの仕事を経験した村上しのぶさんと、元バンドマンの淳也さんが、2018年11月にオープンさせた。玄米おにぎりと味噌汁、淳也さんが焙煎したコーヒーと、しのぶさんの豆腐チーズケーキといった料理の組み合わせはもちろん、地元の人と旅人が、喫茶とギャラリースペースで入り混じっても、不思議にぴたりと収まる心地良さ。それはなにより、二人の絶妙な空気感が醸し出すペアリングの妙に違いない。漫画家の堀道広さんが描いた「まめのもんや」のロゴは、まさにペアリングそのものを表しているかのようだし、両子山の麓に店があるのも決して偶然ではないと思う。（古岡大岳／豆岳珈琲）

047
沖縄
OKINAWA

姉と弟の家
沖縄県南城市玉城玉城90-1
050-7128-6726
inafukuke.com

自然と調和した「素に戻れる宿」　部屋には時計やテレビなどがなく、第一印象は極めて質素であるが、喧騒、物欲、利便性から離れることで、私を素の姿にリセットしてくれる。地元の建築家・山口博之氏が手がけたシンプルな木造建築は、一つの土地に、二つの建物が向かい合っており、この宿のホストの姉弟が、かつて住居として使用していた。宿の周辺は山・畑・海に囲まれた自然豊かな立地。特に静寂の夜に眺める満天の星空は、その空間に吸い込まれていくような感覚になる。オーナーの稲福剛治さん・麻里さん夫妻の人柄も温かく、自然体のもてなしがさらにリラックスさせてくれる。お腹が空いたら「浜辺のカフェ」に散歩がてら出かけ、天然の「新原ビーチ」を眺めながら、のんびり過ごす。働く・暮らすを両立させるワーケーションなど、長期滞在にも活用できる宿。
（竹内暁星／市民ライター）

046
鹿児島
KAGOSHIMA

ash Design & Craft Fair
ash-design-craft.com

場と人とものを繋ぐ　「ash Design & Craft Fair」通称＝アッシュは、2008年に発足し、「街歩きをしながらデザインやクラフトに触れる機会をつくるイベント」として、有志により運営。つくり手と、ショップやギャラリー、カフェなどで同時開催されるお祭りだ。参加作家やショップの情報が掲載されたマップが発行され、それを片手に街を巡る。訪れる人々に、場とつくり手の生み出す空間を楽しんでもらえる工夫が施されている。マップにスタンプを集めていくという行為がお気に入りを増やしていくようで、毎年恒例の楽しみとなっている。つくり手の個々の動きが仲間を呼び、近年では、隣の宮崎県のショップも会場として加わった。秋の行楽シーズン、心地よい風を感じながら街巡りをきっかけに、南九州のデザインとクラフトを堪能してほしい。
（崎山智華／D&DEPARTMENT KAGOSHIMA）

dの会員みんなでつくる

ロングライフデザインの会 会員紹介

今村製陶［JICON］
version zero dot nine
笠盛
亀﨑染工有限会社
カリモク家具
木村石鹸工業
Classic Ko
薩摩藩英国留学生記念館
JINS
ソウワ・ディライト
ダイアテック［BRUNO］
大地の芸術祭
デザインモリコネクション
合同会社てて協働組合
ドライブディレクション
日本デザイン振興会
FUTAGAMI
ムーンスター
山梨県産業技術センター
山梨ジュエリーミュージアム

AHH!!／相沢慎弥／四十沢木材工芸／akaoni／Akimoto Coffee Roasters／淺井勇樹
あさのゆか／ADDress 後藤伸啓／飯石 藍／株式会社生き活き市場 虹のマート／池田隼人
生澤 亮／礒 健介／Mayumi Isoyama／一湊珈琲焙煎所／伊藤里香／inutaku3
石見神楽東京社中 小加本行広／株式会社 INSTOCK／浮 千秋／うた種
株式会社 内田材木店／株式会社 ARC 地域研究センター／Oita Made／大治将典／大山 曜
オクムサ・マルシェ／尾谷志津子／カーサプロジェクト 株式会社／風の杜
弁護士法人 片岡総合法律事務所／金子さつき／釜浅商店／神坂抽佳里
機山洋酒工業 株式会社／北室白扇／金星堂薬膳茶 Lab.／国井 純（ひたちなか市役所）
久保田亜希／kumustaka45／黒野 剛／桑原宏充／建築事務所 ナカムラ製作所／小泉 誠
コクウ珈琲／小林温美／kobayashi pottery studio／小船井健一郎／コルポ建築設計事務所
コンセプトラボ・ラゴム／COMFORT STYLE Co.,Ltd.／酒井貴子／坂口慶樹／坂本正文
サトウツヨシ／佐藤丈公／saredo されど／三柏工業 株式会社 長澤登志也／シオタナナミ
志ば久 久保 統／Shovelz／JunMomo／白川郷山本屋 山本愛子／白藤協子／村主暢子
鈴木めぐみ／整理と収納、ときどき日本ワイン／sail 中村圭吾／zyynn
そばきり助六 小林 明／高塚正広／竹内葉子／竹原あき子／田善銅器店／ちいさな庭／智里
妻形 円／紡ぎ詩／水流一水／DESIGN CLIPS／鳥居大資／DRAWING AND MANUAL
中之条町観光協会／中野苗穂子／中村 唯／中村亮太／Nabe／西村邸 杉本雄太／西山 薫
初亀醸造 株式会社／林口砂里／パラスポ！河原レイカ／原田將裕（茅ヶ崎市役所）
HUMBLE CRAFT／東島未來／日の出屋製菓 千種啓資／POOL INC. 小西利行／深石英樹
藤原慎也／plateau books／古屋万恵／株式会社ぶんぶく／helios8／ホテルニューニシノ
松田菜央／matka／マルヒの干しいも 黒澤一欽／道場文香／峯川 大／宮崎会計事務所
村田明香／室伏将成／望月章弘／森 光男／森内理子／MonMonMon／八重田和志
谷澤咲良／ヤマコヤ やまさき薫／山崎義樹／ヤマモト ケンジ／山本八重子／山本 凌／梁 有鎮
横山純子／横山正芳／リトルクリエイティブセンター／合同会社ルピナスデザインオフィス
ロクノゴジュウナナ／鷲平拓也／遠近 東尾厚志／他 匿名58名（五十音順・敬称略）

※2021年8月末までに入会された会員の方々の内、
お名前掲載にご同意いただきました方々をご紹介しています。

D&DEPARTMENT SHOP LIST

D&DEPARTMENT HOKKAIDO by 3KG
📍北海道札幌市中央区大通西17-1-7
☎011-303-3333
📍O-dori Nishi 17-1-7, Chuo-ku, Sapporo, Hokkaido

D&DEPARTMENT SAITAMA by PUBLIC DINER
📍埼玉県熊谷市肥塚4-29 PUBLIC DINER屋上テラス
☎048-580-7316
📍PUBLIC DINER Rooftop Terrace 4-29 Koizuka, Kumagaya, Saitama

D&DEPARTMENT TOKYO
📍東京都世田谷区奥沢8-3-2
☎03-5752-0120
📍Okusawa 8-3-2, Setagaya-ku, Tokyo

D&DEPARTMENT TOYAMA
📍富山県富山市新総曲輪4-18 富山県民会館 1F
☎076-471-7791
📍Toyama-kenminkaikan 1F, Shinsogawa 4-18, Toyama, Toyama

D&DEPARTMENT MIE by VISON
📍三重県多気郡多気町ヴィソン 672-1 サンセバスチャン通り6
☎0598-67-8570
📍6 Sansebastian-dori, 672-1Vison,Taki-cho, Taki-gun Mie

D&DEPARTMENT KYOTO
📍京都府京都市下京区高倉通仏光寺下ル新開町397 本山佛光寺内
☎ショップ 075-343-3217　食堂 075-343-3215
📍Bukkoji Temple, Takakura-dori Bukkoji Sagaru Shinkai-cho 397, Shimogyo-ku, Kyoto, Kyoto

D&DEPARTMENT KAGOSHIMA by MARUYA
📍鹿児島県鹿児島市呉服町6-5 マルヤガーデンズ4F
☎099-248-7804
📍Maruya gardens 4F, Gofuku-machi 6-5, Kagoshima, Kagoshima

D&DEPARTMENT OKINAWA by PLAZA 3
📍沖縄県沖縄市久保田3-1-12 プラザハウス ショッピングセンター 2F
☎098-894-2112
📍PLAZA HOUSE SHOPPING CENTER 2F, 3-1-12 Kubota, Okinawa, Okinawa

D&DEPARTMENT SEOUL by MILLIMETER MILLIGRAM
📍ソウル市龍山区梨泰院路240
☎+82 2 795 1520
📍Itaewon-ro 240, Yongsan-gu, Seoul, Korea

D&DEPARTMENT JEJU by ARARIO
📍済州島 済州市 塔洞路 2ギル 3
☎+82 64-753-9904/9905
📍3, Topdong-ro 2-gil, Jeju-si, Jeju-do, Korea

D&DEPARTMENT HUANGSHAN by Bishan Crafts Cooperatives
📍安徽省黄山市黟县碧阳镇碧山村
☎+86 13339094163
📍Bishan Village, Yi County, Huangshan City, Anhui Province, China

d47 MUSEUM / d47 design travel store / d47食堂
📍東京都渋谷区渋谷2-21-1 渋谷ヒカリエ 8F
☎d47 MUSEUM/d47 design travel store 03-6427-2301
d47食堂 03-6427-2303
📍Shibuya Hikarie 8F, Shibuya 2-21-1, Shibuya, Tokyo

ちょっと長めの、編集長後記

山も海も人も仏も、すべてが繋がる富山の絆。

神藤秀人

富山に来て、最初の日の夜、見事に雨に降られた。2013年の「富山号 vol.1」の取材で、富山県では、「弁当忘れても、傘忘れるな」と、教わったはずにもかかわらず、迂闊にもその日、僕は、ホテルに傘を置いて出てきてしまった。当時、行きつけだった居酒屋「DOBU6」での、店主との思い出話も束の間、足早に宿に戻った。ただ、雨に降られながらも、それはどこか懐かしくもあり、いい経験だった。これから約2か月間、再びこの土地に住むという高揚感。しかし、8年経ったとはいえ、編集部が全力で作ったvol.1だったし、これ以上何もなかったらどうする?という不安……そんな複雑な心境の中、「富山号vol.2」は、始まったのでした。

まず最初にお伝えしなくてはならなかったのが、この本は、続編ということ。つまり、vol.1に掲載しているdマークレビューや、その他の場所や人などを紹介することは、原則しない、というルールを設けた。しかし、旅を続けていく中で、過去の取材先の皆さんにも再会したし、話を伺っていると、また違った新しいことを始めたという人も多く、むしろそれこそ、この本で紹介すべきことであり、〝今の富山らしさ〟に繋がっていると思うようになっていった。

「僕の54年の人生が、音を立てて変わった」

発行人のナガオカケンメイは、2019年8月に南砺市で開催された「日本民藝夏期学校」に参加したことを、そう振り返った。民藝の提唱者・柳宗悦が見出した民藝の本質は、仏教や寺、祈りなどと「宗教と物を結びつけた思想」であると

embodied the essence of Toyama today.

There is beauty in things made with reverence. Toyama is full of creators and artists who have long maintained a healthy culture of craftmanship rooted in the land. In my view, what they do has much in common with our central theme of "long-life design."

For over six years, the artist Shiko Munakata lived in Fukumitsu as an evacuee. What he found there was a people whose lives were interwoven with Buddhist devotion. Like him, I felt among the people of Toyama a deep sense of gratitude to others, an awareness that what they accomplished was not theirs alone, but a joy to be shared with everyone and everything around them.

In Toyama, everything—food, art, religion, traditional industries—is connected. The blessings they receive from one another, the way they intermingle and evolve, help give Toyama its rich, unique character. Toyama's design, and its culture, are nurtured by the gratitude in its people's hearts. And it's because of them, and the bonds that link them together, that we were able to publish this magazine. Thank you.

知った。経済優先の社会ではなくなりつつある今、民藝的なものづくりが重要になるのではないか。作為的ではなく、祈るように澄んだ心で、適度に量産されているものに宿る「美しさ」。富山県には、その土地に根づき、長く健やかにものづくりを行なっているメーカーや作家が多く、我々がテーマとして掲げる「ロングライフデザイン」の活動に重なる部分が多かったようにも思える。

疎開のため、福光で暮らし、制作を重ねた板画家・棟方志功。その間彼が出会ったのは「南無阿弥陀仏」であり、念仏と一体となって暮らす人々だった。〝他力の国へ留学〟した棟方が感じたように、富山の人は、「ありがとう」という、他者への感謝の気持ちを大切に、自分一人で何かを成し遂げるのではなく、仲間や町や、海や山など、全ての取り巻く「環境」と共に喜ぶ〝性〟を持っていた。

立山開山伝説に始まり、ダムや砂防と脈々と続いてきた自然との共生。日本海最大の内海が生む、固有の生物たち。料理も、アートも、念仏も、伝統産業も、それら全ては、他者からの恩恵を受け、互いに讃え合い、繋がり、交わり、進化し、富山の個性を、さらに色濃くしてきた。感謝し合う人々の心が、デザインの力となり、今も、富山の文化を育んでいる。だからこそ、この本も、独力でも奇跡でもなく、皆さんのおかげで発行することができたのだと思う。全てのものの絆が、最後まで背中を押し続けてくれた。本当に、ありがとうございました。

Slightly Long Editorial Notes

By Hideto Shindo

Mountains and seas, people and Buddha: In Toyama, everything is connected

My first night in Toyama, I got rained on. In our first Toyama issue, we wrote: “Don’t forget your umbrella.” Clearly, I didn’t learn my lesson, because I carelessly left my umbrella in the hotel. And yet even as I got soaked, it felt somehow nostalgic, almost fun. Exciting that I’d be spending the next two months living here again. But still I was worried: we’d poured our hearts into that first issue eight years ago. What if there was nothing new to write about? It was in that conflicted state of mind that the sequel to our Toyama issue kicked off.

At first, our intent was not to profile people and places we covered in volume 1. But as I traveled and met people I’d encountered before, and heard about all the new and different things they were doing, I realized that these were the stories this issue should cover, and many of them

21
スヰヘイ(→p. 086)
富山県滑川市瀬羽町1830
090-3760-2043　12:00–18:00　不定休
Suihei(→p. 084)
Sewa-machi 1830, Namerikawa, Toyama

22
古本いるふ(→p. 086)
富山県滑川市瀬羽町1890-1
076-456-7620　12:00–18:00　月・火曜休
Furuhon Iruf(→p. 087)
Sewa-machi 1890-1, Namerikawa, Toyama

23
水の時計(→p. 086)
富山県黒部市荻生2671-3　0765-57-3251
10:30–19:00(土・日曜・祝日10:00–19:00) 火曜休
Mizunotokei(→p. 087)
Ogyu 2671-3, Kurobe, Toyama

24
黒部市美術館(→p. 086)
富山県黒部市堀切1035　0765-52-5011
9:30–16:30(入館は16:00まで)
月曜休(祝日の場合は、翌日・翌々日休)、
祝日の翌日休、年末年始休展示入れ替え時休
Kurobe City Art Museum(→p. 086)
Horikiri 1035, Kurobe, Toyama

25
セレネ美術館(→p. 086)
富山県黒部市宇奈月温泉6-3　0765-62-2000
9:00-17:30　無休(11月〜3月は、火曜休)
12月29日-31日休
Selene Art Museum(→p. 086)
Unazuki Onsen 6-3, Kurobe, Toyama

26
延楽(→p. 086)
富山県黒部市宇奈月温泉347-1　0765-62-1211
1泊2食付1名28,600円〜(1室2名利用時)
Enraku(→p. 086)
Unazuki Onsen 347-1, Kurobe, Toyama

27
池田模範堂(ムヒ)(→p. 072)
富山県中新川郡上市町神田16
076-472-1133　www.ikedamohando.co.jp
Ikeda Mohando (MUHI)(→p. 072)
Jinden 16, Kamiichi-machi, Naka-niikawa-gun, Toyama

28
タカタレムノス(→p. 088)
富山県高岡市早川511　0766-24-5731
lemnos.jp
Lemnos(→p. 088)
Hayakawa 511, Takaoka, Toyama

29
鳥居セメント工業(→p. 101)
富山県富山市町村122
076-425-1538　9:00–17:00　不定休
Torii Cement(→p. 101)
Machimura 122, Toyama, Toyama

30
木下宝(→p. 102, 140)
t-simpleglass.com/
Takara Kinoshita(→p. 103, 140)

31
STUDIO ROLE /(→p. 103)
富山県高岡市白金町5-2　0766-53-5862
www.role.ne.jp/top.html
STUDIO ROLE /(→p. 102)
Shirogane-machi 5-2, Takaoka, Toyama

32
漆器くにもと(→p. 105)
富山県高岡市小馬出町64　0766-21-0263
11:00–17:00　火・水曜休
Lacquerware Kunimoto(→p. 104)
Konmadashi-machi 64, Takaoka, Toyama

33
光岡自動車(→p. 110)
富山県富山市婦中町横野100
076-465-4361　10:00–18:00　土・日・祝日休
Mitsuoka Motor(→p. 110)
Fuchu-machi Yokono 100, Toyama, Toyama

34
スピニー編集部／空耳カメラ(→p. 115)
富山県射水市大閤山1-45　www.spinnie.jp
Spinnie Editorial Staff / Soramimi Camera(→p. 115)
Taikoyama 1-45, Imizu, Toyama

35
パッシブタウン(→p. 112)
富山県黒部市三日市4016-1　www.passivetown.jp
Passive Town(→p. 112)
Mikkaichi 4016-1, Kurobe, Toyama

36
農家レストラン大門(→p. 134)
富山県砺波市大門165　0763-33-0088
10:00–14:00　17:00–22:00　年末年始休
Farmers Restaurant Ookado(→p. 135)
Okado 165, Tonami, Toyama

37
石黒種麹店(→p. 134)
富山県南砺市福光新町54　0763-52-0128
月〜金曜 9:00–18:00(土日祝 10:00–17:00)
年末年始休
Ishikuro Tanekoji Ten(→p. 134)
Fukumitsu-shinmachi 54, Nanto, Toyama

38
ひらすま書房(→p. 139)
富山県射水市戸破6360 LETTER 1F
080-4251-0424　11:00–18:00　火曜休
Hirasuma Shobo(→p. 139)
LETTER 1F, Hibari 6360, Imizu, Toyama

39
KAKI CABINET MAKER(→p. 140)
富山県富山市粟巣野(本宮2-3)　076-482-1433
10:00–17:00　月曜休、他不定休
KAKI Cabinet Maker(→p. 140)
Awasuno, Toyama, Toyama

40
高澤酒造場(→p. 140)
富山県氷見市北大町18-7　0766-72-0006
8:00–18:00　日曜休
Takasawa Brewery(→p. 140)
Kita-omachi 18-7, Himi, Toyama

41
桂樹舎(→p. 093, 140)
富山県富山市八尾町鏡町668-4
076-455-1184　10:00–17:00　月曜休
Keijusha(→p. 093, 140)
Kagami-machi 668-4, Yatsuo-machi, Toyama, Toyama

42
富山県いきいき物産　幸のこわけ事業部
越中富山お土産プロジェクト(→p. 140)
富山県富山市新富町1-2-3 CiC1F(ととやま)
076-444-7160　10:00–20:00 土・日曜、第3火曜休
Etchu Toyama Souvenir Project(→p. 140)
CiC 1F, Shintomi-cho 1-2-3, Toyama, Toyama

43
季の実(→p. 054, 140)
富山県南砺市山見1001　070-8463-0619
10:00–17:00　月〜水曜休
Kinomi(→p. 055, 140)
Yamami 1001, Nanto, Toyama

44
セイズファーム(→p. 140)
富山県氷見市余川字北山238
0766-72-8288　10:00–17:00　不定休
SAYS FARM(→p. 140)
Aza-kitayama 238, Yokawa, Himi, Toyama

45
FUTAGAMI(→p. 140)
富山県高岡市長慶寺1000
0766-23-8531　www.futagami-imono.co.jp
Futagami(→p. 140)
Chokeiji 1000, Takaoka, Toyama

46
koffe(→p. 140)
富山県富山市舟橋南町10-3　076-482-3131
12:00–19:00(土・日曜・祝日は、10:00–) 木曜休
koffe(→p. 140)
Funahashi-minami-cho 10-3, Toyama, Toyama

47
五箇山 和紙の里(→p. 140)
富山県南砺市東中江215
0763-66-2223・2403　10:00–17:00　無休
Gokayama Washi no Sato(→p. 140)
Higashi-nakae 215, Nanto, Toyama

48
大寺幸八郎商店(→p. 140)
富山県高岡市金屋町6-9
0766-25-1911　10:00–17:00　火曜休
Otera Kohachiro Shoten(→p. 140)
Kanaya-machi 6-9, Takaoka, Toyama

49
syouryu(→p. 140)
富山県高岡市千石町4-2　0766-22-4727
9:00–17:00　日曜休
Syouryu(→p. 140)
Sengoku-cho 4-2, Takaoka, Toyama

50
となみ野農業協同組合(→p. 140)
富山県砺波市矢木25-1　0120-234-803
9:00–17:00　不定休
Tonamino Agricultural Cooperative(→p. 140)
Yagi 25-1, Tonami, Toyama

51
薄氷本舗 五郎丸屋(→p. 140)
富山県小矢部市中央町5-5　0766-67-0039
火〜土曜 9:00–18:00 日曜 9:00–17:00　月曜休
Usugohri Hompo Goroumaru-ya(→p. 140)
Chuo-machi 5-5, Oyabe, Toyama

52
尾山製材株式会社(→p. 159)
富山県下新川郡朝日町荒川630
0765-83-2220　www.oyamaseizai.com/
Oyama Seizai Co., Ltd.(→p. 159)
Arakawa 630, Asahi-machi, Shimo-niikawa-gun, Toyama

d MARK REVIEW INFORMATION (→ p. 185)

d design travel TOYAMA INFORMATION

スズキーマ(→p. 108)
富山県富山市西町6-4 西町河上ビル1F-A
076-491-2184　12:00–20:00
水・木曜休、火曜不定休
Suzukima(→p. 108)
1F-A Kawakami Bldg, Nishi-cho 6-4, Toyama, Toyama

栄食堂(→p. 108, 135)
富山県下新川郡朝日町境647-1
0765-83-3355　8:00–19:00　隔週月曜休
Sakae Shokudo(→p. 108, 134)
Sakai 647-1, Asahi-machi, Shimoniikawa-gun, Toyama

新とんかつ 太郎丸店(→p. 108)
富山県富山市太郎丸西町2-11-5
076-424-5785 ランチ 11:30–14:30(L.O.14:00)
ディナー 17:00–20:30(L.O.20:00)
※早期閉店の場合あり
火曜休(年始・お盆・祝日は、営業)
Shintonkatsu – Taromaru restaurant(→p. 108)
Taromaru Nishi-machi 2-11-5, Toyama, Toyama

COOKTOWN(→p. 076, 108)
富山県富山市上本町6-1 ラ・アンサンブルビル2F
076-482-6930 水～土曜 ランチ 11:30–15:00 (L.O.14:30)　ディナー 18:00–22:00 (L.O.21:00)
日曜 11:30-15:00　月・火曜休
COOKTOWN(→p. 076, 108)
2F La Ensemble Bldg, Kamihon-machi 6-1, Toyama, Toyama

お多福 (→p. 108)
富山県富山市婦中町速星543
076-466-2265　16:30–22:00　日曜休
Otafuku(→p. 108)
Hayahoshi 543, Fuchu-machi, Toyama, Toyama

パンドール(→p. 108)
富山県富山市桜町1-6-11　076-431-6638
7:00–18:00　水・日曜・祝日休
PAIN D'OR(→p. 108)
Sakura-machi 1-6-11, Toyama, Toyama

春乃色食堂(→p. 108)
富山県南砺市福光6808-2　0763-52-0544
11:00–18:00　木曜 11:00–17:00
※おでんがなくなり次第終了　日曜休
Harunoiro Shokudo(→p. 108)
Fukumitsu 6808-2, Nanto, Toyama

石谷もちや(→p. 108)
富山県富山市中央通り1-5-33
076-421-2253　9:30–18:00　水曜休
Ishitani Mochiya(→p. 108)
Chuo-dori 1-5-33, Toyama, Toyama

糸庄 本店(→p. 108)
富山県富山市太郎丸本町1-7-6
076-425-5581 ランチ 11:00–15:30 (L.O.15:00)
ディナー 17:00–23:30 (L.O.23:00)火曜休、第1・3水曜休(火曜が祝日の場合、翌日水曜休)
Itosho Main Restaurant(→p. 108)
Taromaruhon-machi 1-7-6, Toyama, Toyama

居酒屋ちろり(→p. 108)
富山県富山市総曲輪1-4-3 1F　076-433-6688
18:00–23:00　日曜・祝日休(金・土曜は営業)
Izakaya Chirori(→p. 108)
Sogawa 1-4-3 1F, Toyama, Toyama

立山サンダーバード(→p. 108)
富山県中新川郡立山町横江6-1
076-483-3331 5:00–20:00(冬季は、6:00–)無休
Tateyama Thunderbird(→p. 108)
Yokoe 6-1, Tateyama-cho, Nakaniikawa-gun, Toyama

富山マンテンホテル(→p. 075)
富山県富山市本町2-17　076-439-0100
1泊朝食付き1名6,200円～(2名利用時)
Toyama Manten Hotel(→p. 075)
Honmachi 2-17, Toyama, Toyama

純喫茶ツタヤ(→p. 075)
富山県富山市堤町通り1-4-1
076-424-4896　7:00–17:00
(土・日曜は～22:00)火・水曜休　※要確認
Junkissa Tsutaya(→p. 077)
Tsutsumi-cho-dori 1-4-1, Toyama, Toyama

SOGAWA BASE(→p. 076)
富山県富山市総曲輪3-4-8
sogawa-base.com　水曜休
SOGAWA BASE(→p. 077)
Sogawa 3-4-8, Toyama, Toyama

ほとり座(→p. 076, 114)
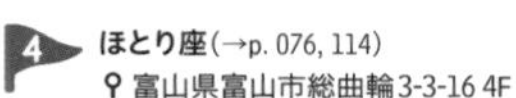
富山県富山市総曲輪3-3-16 4F
hotori.jp　上映時間は、HP参照　不定休
Hotori-za(→p. 077, 114)
Sogawa 3-3-16 4F, Toyama, Toyama

古本ブックエンド2(→p. 076)

富山県富山市総曲輪4-5-15
076-461-3960　12:00–19:00　水曜休
Huruhon Bookends 2(→p. 076)
Sogawa 4-5-15, Toyama, Toyama

花水木ノ庭(→p. 076)

富山県富山市南田町1-4-3　090-3764-6347
10:00–18:30(イベント時は夜まで営業)
Hanamizuki Garden(→p. 076)
Minamida-machi 1-4-3, Toyama, Toyama

お花畠窯(→p. 077)
富山県富山市追分茶屋お花畠66　076-434-3718
Ohanabatake-gama Pottery(→p. 076)
Oiwakechaya Ohanabatake 66, Toyama, Toyama

珈琲ランチケーキ青い丘(→p. 079)
富山県富山市呉羽町　076-434-3602
11:30–14:00　月・火曜休(祝日の場合は営業)
Aoi Oka(→p. 079)
Kureha-machi, Toyama, Toyama

黒崎屋(→p. 079)
富山県富山市寺島1456
076-471-8712　9:00–19:00　日曜休
Kurosakiya(→p. 079)
Terashima 1456, Toyama, Toyama

フレッシュ佐武(→p. 079)
富山県高岡市昭和町2-1-10
0120-212-653　9:30–19:00　1月1日・2日休
Fresh Satake(→p. 079)
Showa-machi 2-1-10, Takaoka, Toyama

おでん百福(→p. 080)
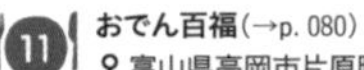
富山県高岡市片原町1145　080-4258-5634
17:00–22:00 火曜、第1水曜休
Momofuku(→p. 079)
Katahara-machi 1145, Takaoka, Toyama

水辺の民家ホテル・カモメとウミネコ(→p. 081)
富山県射水市放生津町19-18　090-2379-7575
1泊素泊まり1室34,000円～
MINKA Riverside Villas(→p. 079)
Hojozu-machi 19-18, Imizu, Toyama

HOUSEHOLD(→p. 081)
富山県氷見市南大町26-10　household-bldg.com
1泊朝食付き1室20,900円～(2名利用時)
HOUSEHOLD(→p. 080)
Minami-omachi 26-10, Himi, Toyama

tototo(→p. 081)
富山県氷見市北大町7-4 シーパレス1F
090-2821-3649　9:00–17:00　土・日曜休
tototo(→p. 080)
Sea Palace 1F, Kita-omachi 7-4, Himi, Toyama

大福寺(→p. 082, 093)
富山県南砺市大窪125　0763-62-1807
Daifukuji Temple(→p. 083, 093)
Okubo 125, Nanto, Toyama

愛染苑・鯉雨画斎(→p. 083, 093)
富山県南砺市福光1026-4　0763-52-5815
9:00–17:00 火曜休(祝日の場合は翌日休)年末年始休
Aizenen / Riu Gasai(→p. 083, 093)
Fukumitsu 1026-4, Nanto, Toyama

南砺市立福光美術館(→p. 083)
富山県南砺市法林寺2010　0763-52-7576
9:00–17:00 火曜休(祝日の場合は翌日休)年末年始休
Nanto Fukumitsu Art Museum(→p. 082)
Horinji 2010, Nanto, Toyama

gonma(→p. 083, 134)
富山県南砺市福光6936-1　070-4006-8298
20:00–24:00　日～火曜休
gonma(→p. 082, 135)
Fukumitsu 6936-1, Nanto, Toyama

あわすのスキー場(→p. 084)
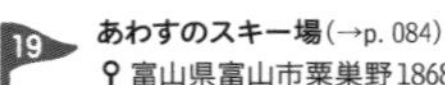
富山県富山市粟巣野1868　076-460-3688
Awasuno Ski Area(→p. 082)
Awasuno 1868, Toyama, Toyama

埜の家(→p. 084)
富山県中新川郡立山町四谷尾691-4
076-464-3130
1泊素泊まり88,000円～(2名利用時)
Nonoie(→p. 084)
Shidanio 691-4, Tateyama-machi, Naka-niikawa-gun, Toyama

39

DOBU6（→p. 050, 137）
富山県富山市総曲輪2-8-14
076-493-0146
17:00–25:00　日曜休
市内電車 荒町電停から徒歩約3分

DOBU6（→p. 051, 137）
Sogawa 2-8-14, Toyama, Toyama
17:00–25:00　Closed on Sundays
3 minutes on foot from Aramachi stop on the Toyama City Tram Line

40

ハナミズキノヘヤ（→p. 052）
富山県富山市南田町1-6-1
076-423-5557
19:00–24:00頃　水曜休
市内電車 上本町電停から徒歩1分以内

Hanamizukinoheya（→p. 053）
Minamida-machi 1-6-1, Toyama, Toyama
19:00–24:00　Closed on Wednesdays
Less than 1 minute on foot from Kami-honmachi stop on the Toyama City Tram Line

41

Bed and Craft（→p. 054, 140）
富山県南砺市本町3-41
0763-77-4138
1泊朝食付き1室38,000円～（2名利用時）
東海北陸自動車道 南砺スマートICから車で約15分

Bed and Craft（→p. 055, 140）
Hon-machi 3-41, Nanto, Toyama
One night with breakfast (per person) from ¥38,000 (when two guests in one room)
15 minutes by car from Nanto Smart Exit on the Tokai Hokuriku Expy

ホテルアクア黒部（→p. 056, 127）
富山県黒部市天神新353-1
0765-54-1000
1泊素泊まり　1名8,580円～
あいの風とやま鉄道 黒部駅から徒歩約1分

Hotel Aqua Kurobe（→p. 057）
Tenjinshin 353-1, Kurobe, Toyama
One night (per person) from ¥8,580 (meals not included)
1 minute on foot from Kurobe Sta. on the Ainokaze Toyama Railway

つりや東岩瀬（→p. 058, 140）
富山県富山市東岩瀬町120
076-471-7877
1泊素泊まり1室40,700円～（2名利用時）
※4名まで同料金
市内電車 東岩瀬電停から徒歩約10分

Tsuriya Higashi Iwase（→p. 059, 140）
Higashi-iwase-machi 120, Toyama, Toyama
One night (per person) from ¥40,700 (when two - four guests in one room) (meals not included)
10 minutes on foot from Higashi-iwase stop on the Toyama City Tram Line

まれびとの家（→p. 060）
富山県南砺市利賀村大勘場433
marebitonoie@gmail.com
1泊素泊まり1名25,000円～
JR城端線 城端駅から車で約50分

Marebito no Ie（→p. 061）
Taikanba 433, Toga-mura, Nanto, Toyama
One night (per person) from ¥25,000 (meals not included)
50 minutes by car from Johana Sta. on the JR Johana Line

山川智嗣（Bed and Craft／コラレアルチザンジャパン）（→p. 062）
富山県南砺市本町3-41
0763-77-4544
東海北陸自動車道 南砺スマートICから車で約15分

Bed and Craft / Corare Artisans Japan, Tomotsugu Yamakawa（→p. 063）
Hon-machi 3-41, Nanto, Toyama
15 minutes by car from Nanto Smart Exit on the Tokai Hokuriku Expy

46

桐山登士樹（富山県総合デザインセンター）（→p. 064）
富山県高岡市オフィスパーク5
0766-62-0510
9:00–17:00　土・日・祝日休、年末年始休
北陸自動車道 高岡砺波スマートICから車で約5分

Toyama Design Center, Toshiki Kiriyama（→p. 065）
Office Park 5, Takaoka, Toyama
9:00–17:00　Closed on Saturdays, Sundays, public holidays, and year-end and New Year holidays
5 minutes by car from Takaoka-Tonami Smart Exit on the Hokuriku Expy

林口砂里（一般社団法人 富山県西部観光社 水と匠）（→p. 066, 093）
富山県高岡市内島3550
0766-95-5170
能越自動車道 高岡ICから車で約2分

Water and Artisans, Sari Hayashiguchi（→p. 067, 093）
Uchijima 3550, Takaoka, Toyama
2 minutes by car from Takaoka Exit on the Noetsu Expy

鈴木忠志（SCOT）（→p. 068）
富山県南砺市利賀村上百瀬70-2
0763-68-2356
北陸自動車道 砺波ICから車で約1時間

SCOT, Tadashi Suzuki（→p. 069）
Kami-momose 70-2, Toga-mura, Nanto, Toyama
1 hour by car from Tonami Exit on the Hokuriku Expy

富山県美術館(→p. 022)
富山県富山市木場町3-20
076-431-2711
9:30–18:00(入館は17:30まで)
水曜休(祝日の場合は翌日休)、年末年始休
富山駅から車で約5分
Toyama Prefectural Museum of Art and Design (→p. 023)
Kiba-machi 3-20, Toyama, Toyama
9:30–18:00 (admission until 17:30) Closed Wednesdays (for Wednesdays that are public holidays, closed on following day) and year-end and New Year holidays
5 minutes by car from Toyama Sta.

光徳寺(→p. 024, 093)
富山県南砺市法林寺308
0763-52-0943
9:00–17:00　木曜休、年末年始休
JR城端線 福光駅から車で約10分
Kotoku-ji Temple(→p. 025, 093)
Horinji 308, Nanto, Toyama
9:00–17:00 Closed on Thursdays and year-end and New Year holidays
10 minutes by car from Fukumitsu Sta. on the JR Johana Line

SCOT(Suzuki Company of Toga) (→p. 026, 068)
富山県南砺市利賀村上百瀬70-2
0763-68-2356
www.scot-suzukicompany.com
北陸自動車道 砺波ICから車で約1時間
SCOT(→p. 027, 069)
Kami-momose 70-2, Toga-mura, Nanto, Toyama
1 hour by car from Tonami Exit on the Hokuriku Expy

富山地方鉄道 アルプスエキスプレス(→p. 028)
076-432-5540(鉄軌道部)
4月15日～11月30日の土・日曜、祝日運行
※2021年4月1日改正 電鉄富山7時発〈普通列車〉宇奈月温泉行(8:43着)宇奈月温泉 9:00発〈特急アルペン2号〉立山行(10:34着 ※寺田10:00発) 立山 11:28発〈普通列車〉電鉄富山行(12:32着)
Alps Express(→p. 029)
Operates Saturdays, Sundays, and public holidays April 15 through November 30 (revised April 1, 2021)
Departs Dentetsu Toyama 7:00 (local), arrives Unazuki Onsen 8:43
Departs Unazuki Onsen 9:00 (Alpen 2 Express), arrives Tateyama 10:34 (* departs Terada 10:00)
Departs Tateyama 11:28 (local), arrives Dentetsu Toyama 12:32

茶寮 和香(→p. 030)
富山県高岡市金屋本町2-26
0766-75-8529(要予約)
ランチ 11:30–14:00　ディナー 18:00–22:00
日曜休、祝日休
高岡駅から徒歩約15分
Saryo Nikoka(→p. 031)
Kanaya-honmachi 2-26, Takaoka, Toyama
Lunch: 11:30–14:00 Dinner: 18:00–22:00
Closed on Sundays and national holidays
15 minutes on foot from Takaoka Sta.

キッチン花水木(→p. 032)
富山県富山市南田町1-2-13
076-461-4595
1日1組の限定営業(3日前までに要予約)
市内電車 上本町電停から徒歩約1分
Kitchen Hanamizuki(→p. 033)
Minamida-machi 1-2-13, Toyama, Toyama
One group of guests per day (reservations needed three days in advance)
1 minute on foot from Kami-honmachi stop on the Toyama City Tram Line

L'évo(→p. 034)
富山県南砺市利賀村大勘場田島100
0763-68-2115
ランチ 12:00、12:30　ディナー 18:00、19:00
水曜休、夏季休業あり
JR城端線 城端駅から車で約45分
L'évo(→p. 035)
Tanoshima 100, Taikanba, Toga-mura, Nanto, Toyama
Lunch: 12:00, 12:30 Dinner: 18:00, 19:00 Closed on Wednesdays and during summer break
45 minutes by car from Johana Sta. on the JR Johana Line

最勝寺 行鉢(→p. 036)
富山県富山市蜷川377
076-429-1285
毎月第三火曜(要予約)　19:00集合、19:30開始
富山駅から車で約15分
Saisho-ji Gyohatsu(→p. 037)
Ninagawa 377, Toyama, Toyama
Third Tuesday of each month (reservations needed in advance)
Arrive by 19:00, begins at 19:30
15 minutes by car from Toyama Sta.

若鶴酒造 三郎丸蒸留所(→p. 038, 140)
富山県砺波市三郎丸208
0763-37-8159
9:00–17:00　水曜休、年末年始休
※見学は、10:40–、13:20–、15:00–
JR城端線 油田駅から徒歩約1分
Wakatsuru Saburomaru Distillery(→p. 039, 140)
Saburomaru 208, Tonami, Toyama
9:00–17:00 Closed on Wednesdays and year-end and New Year holidays*Tours begin at 10:40, 13:20, and 15:00
1 minute on foot from Aburaden Sta. on the JR Johana Line

林ショップ(→p. 040, 093)
富山県富山市総曲輪2-7-12
076-424-5330
11:00–19:00　火・水曜休
市内電車 荒町電停から徒歩約3分
Hayashi Shop(→p. 041, 093)
Sogawa 2-7-12, Toyama, Toyama
11:00–19:00 Closed on Tuesdays and Wednesdays
3 minutes on foot from Aramachi stop on the Toyama City Tram Line

Healthian-wood(→p. 042, 140)
富山県中新川郡立山町日中上野20-1
080-3525-8964
10:00–16:00　第3水曜休、年末年始休、冬季休業あり
富山地方鉄道立山線 五百石駅から車で約10分
Healthian-wood(→p. 043, 140)
Nitchu-uwano 20-1, Tateyama-machi, Naka-niigawa-gun, Toyama
10:00–16:00 Closed on 3rd Wednesday of each month, year-end and New Year holidays, and during winter break
10 minutes by car from Gohyakkoku Sta. on the Toyama Chiho Railway Tateyama Line

流動研究所(→p. 044, 140)
富山県富山市婦中町富崎4717-1
www.peterivy.com/ja/
平日のみ、HPから要予約
JR高山本線 千里駅から車で約5分
Peter Ivy Flow Lab(→p. 045, 140)
Tomisaki 4717-1, Fuchu-machi, Toyama, Toyama
Weekdays only, appointments available through website
5 minutes by car from Chisato Sta. on the JR Takayama Line

KOBO Brew Pub(→p. 046)
富山県富山市東岩瀬町107-2
080-3047-9916
11:00–18:00　火曜休
市内電車 東岩瀬電停から徒歩約10分
KOBO Brew Pub(→p. 047)
Higashi-iwase-machi 107-2, Toyama, Toyama
11:00-18:00Closed on Tuesdays
10 minutes on foot from Higashi-iwase stop on the Toyama City Tram Line

BRIDGE BAR(→p. 048, 080)
富山県射水市八幡町1-12-5
090-8098-4690
16:00–23:00　月曜休
万葉線 新町口駅から徒歩約10分
BRIDGE BAR(→p. 049)
Hachiman-machi 1-12-5, Imizu, Toyama
16:00–23:00 Closed on Mondays
10 minutes on foot from Shinmachiguchi Sta. on the Manyo Line

城島 薫 Kaoru Jojima
パパスアンドママス
長崎のことを、
d design travelで伝えたい。

末永 侑 Yu Suenaga
フォトアトリエすえなが
富山の赤提灯に誘われた夜は
美味しかった…。

杉山 知子 Tomoko Sugiyama
神保真珠商店
セミオーダー会で訪れた富山、
山の存在感に感動しました。

関 紗代子 Sayoko Seki
d47食堂フロア
いつか、立山黒部アルペンルートを
歩きたい。

高木 崇雄 Takao Takaki
工藝風向 店主
六字六字ノ 捨場カナ （柳宗悦）
で仕事ができればと。

高野 直子 Naoko Takano
リトルクリエイティブセンター
東京と岐阜をつなぐフリーマガジン
「TOFU magazine」毎月発行！

竹内 暁星 Akari takeuti
市民ライター
沖縄の島野菜を使った料理に
ハマってます。

武田 健太 Kenta Takeda
旅するように暮らす日常の和歌山
Wakayama Days
神戸から1時間半、京都から
1時間45分で来れます！

田中 孝明 Komei Tanaka
田中 早苗 Sanae Tanaka
木彫・漆 トモル工房
富山の自然を身近に感じながら
日々制作をしています。

田中 陽子 Yoko Tanaka
D&DEPARTMENT TOYAMA
好きな富山食材は、銀泉まくわうり。

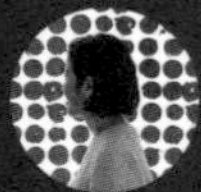

田畑 知著 Chiaki Tabata
D&DEPARTMENT MIE
D&DEPARTMENT MIE by VISONスタッフ。
暮らしを楽しみながら！

辻井 希文 Kifumi Tsujii
ふつうのイラストレーター
2度目の富山号も楽しかったです！

土屋 裕一 Yuichi Tsuchiya
suiran
古本屋です。実店舗はありません。

土肥 明 Akira Doi
唎き酒師の資格を持つ店主
実はギター歴33年。

轟 久志 Hisashi Todoroki
トドロキデザイン
きときとの海の幸、うらやましい！
（長野県民の声）

内藤 早紀 Saki Naito
d47食堂 料理人
富山店協力のもと、素敵な定食が
出来上がりました！

中井 彩子 Ayako Nakai
D&DEPARTMENT HOKKAIDO
北海道に魅了され移住。
薪割りの素質があるらしい。

中川 裕子 Yuko Nakagawa
gonma 経営者　発酵 郷土料理勉強家
富山県南砺市を離れたことがないが、
世界各国を旅して食べる食いしん坊

那須野 由華 Yuka Nasuno
D&DEPARTMENT KYOTO 店長
富山の山へ登って、山頂で旨い酒を
呑むのが密かな夢です。

新山 直広 Naohiro Niiyama
TSUGI
2022年、金津創作の森で
発酵ツーリズム展が開催！

野口 純一 Jyunichi Noguchi
（一社）MUSUBITO 代表理事
僕たちの新しい取り組み宿泊事業にも
ご注目ください！

羽田 純 Jun Haneda
デザインスタジオROLE デザイナー
今回ついに『高岡伝産』を
ご紹介いただけたことに感謝！

早崎 夏未 Natsumi Hayasaki
D&DEPARTMENT TOYAMA
思い立ったらすぐ旅に出られた日常が
恋しい。

林口砂里 Sari Hayashiguchi
（一社）富山県西部観光社
水と匠プロデューサー
自然と人が共に作り出す「美」が
富山の価値、と思う。

原 かなた Kanata Hara
会社員
富山の魚のおいしさが忘れられません。
また食べたい！

原田 將裕 Masahiro Harada
茅ヶ崎市役所
富山の土徳に触れ、まちづくりの
ヒントにしたい

樋口 ゆちこ Yuchiko Higuchi
ほとり座　編成担当
劇場は世界につながる
窓みたいだなって。

日野 藍 Ai Hino
デザイナー
海と山の間でデザインしてます。

廣安 ゆきみ Yukimi Hiroyasu
READYFOR キュレーター
早くも第三弾。クラファン成功
おめでとうございます！

古岡 大岳 Hirotake Furuoka
豆岳珈琲
やっぱりここで良かったと改めて思う日々。

本多 尚諒 Naoaki Honda
テンナイン・コミュニケーション
富山号Vol 2で、行きたいところ
予習してます！

松崎 紀子 Noriko Matsuzaki
DESIGN CLIPS
初めて訪れた富山は、穏やかで
心洗われる土地でした。

真鍋 太一 Taichi Manabe
Food Hub Project
食べることをずっと考えています。

宮田 裕美詠 Yumiyo Miyata
グラフィックデザイナー
D&D富山店は富山の財産だと思います。

本居 淳一 Junichi Motoi
ひらすま書房 店主
「ひらすま」とは、富山弁で
「お昼寝」のことです。

山川 智嗣 Tomotsugu Yamakawa
山川 さつき Satsuki Yamakawa
建築家 株式会社コラレアルチザンジャパン
ぜひ富山・井波に「こられ！」(来てね！)

山﨑 悠次 Yuji Yamazaki
写真家
猫背な人生

やましたかなよ Kanayo Yamashita
いりこのやまくに
うどん県の西の端で毎日いりこと
向き合っています!!

山田写真製版所
Yamada Photo Process
富山から世へ美しい印刷物を！
それが私たちの原動力！

山田 藤雄 Fujio Yamada
フリーランス
第二の故郷は茨城県。

山田 立 Ritsu Yamada
燕三条旅行会社「株式会社つくる」
ものづくりの聖地・燕三条をご案内します。

吉田 絵美 Emi Yoshida
富山県総合デザインセンター 主任研究員
富山県企業のデザイン開発の
お手伝いをしています。

CONTRIBUTORS

愛場 亮 Ryo Aiba
愛場 千恵子 Chieko Aiba
愛場商店 作り手夫婦
富山の鮮度と素材を感じる
シンプルな商品作ってます。

相馬 夕輝 Yuki Aima
D&DEPARTMENT PROJECT
点在する散居村の美しさに
見惚れた富山旅。

荒井 優希 Yuki Arai
東北芸術工科大学学生
卒業制作でラップミュージックを
作っています。

有田 行男 Yukio Arita
富山大学 芸術文化学部 准教授
富山に拠点を移し、デザイン領域を
担当しています～。

飯野 勝智 Katsutoshi Iino
(一社) MUSUBITO 代表理事
人と街を結ぶ
「結いプロジェクト」を実施。

五十嵐 亮 Ryo Igarashi
有限会社富山メディアワーク代表取締役
飲食イベントの企画や、県外からのツアー
や取材のコーディネートをしています。

石黒 八郎 Hachiro Ishikuro
有限会社石黒種麹店 代表取締役社長
江戸中期より昔ながらの製法で
麹を作り続けています。

石嶋 康伸 Yasunobu Ishijima
ナガオカケンメイのメール友の会・管理人
大阪にdを再び！

井上 映子 Eiko Inoue
ダイアテック BRUNO広報
15歳で初めて富山へ行った時から
ますのすし大好き！

井上 望 Nozomi Inoue
ライター
島根の片隅でコピー書いてます。

伊部 可那子 Kanako Ibe
D&DEPARTMENT TOYAMA
富山弁が可愛いのでマネしています。

今田 雅 Miyabi Imada
CARRY on my way 44
音楽・建築・まち関係の企画・運営など
分野を跨ぐ。

岩井 巽 Tatsumi Iwai
東北スタンダード
宮城県仙台市にて、暮らしを
あたたかくする、東北生まれの品々を
販売しています。

岩滝 理恵 Rie Iwataki
D&DEPARTMENT TOYAMA
やっぱり地元富山が一番好きです！

上杉 智恵 Chie Uesugi
百貨店勤務
富山のますのすしすきです。

植本 寿奈 Suna Uemoto
d47食堂の料理人
土地を味わい慈しみ、
生活の知恵である郷土料理。

衛藤 武智 Takenori Eto
voyageur au bureau
硝子の向こうに白海老天丼と、
立山サンダーバードの…

大谷 学 Manabu Ohtani
パドルアンドチャート代表
小さな船でも、
大きな波に負けない戦略を。

大浪 優紀 Yuki Onami
olto
最近はおうちで草木染めに
ハマっています。

岡本理恵子 Rieko Okamoto
D&DEPARTMENT TOYAMA
滝に打たれたい。

加賀崎 勝弘 Katsuhiro Kagasaki
PUBLIC DINER
d佐々木晃子さんから
熊谷周三さんに広がる輪に感謝！

柿沢 昌宏 Masahiro Kakizawa
富山県議会事務局長
みんながワクワクする富山県にしたい！

柿本 萌 Moe Kakimoto
グラフィックデザイナー
富山のお水はおいしいです。

門脇 万莉奈 Marina Kadowaki
d47 design travel store
自由に旅ができますように。
会いたい人が沢山です。

貴堂 敦子 Atsuko Kidou
D&DEPARTMENT TOYAMA
生まれも育ちも富山ですが、
改めて知る魅力あります。

木下 宝 Takara Kinoshita
Simpleglass.
富山の森とガラスをつなぎます！

國本 耕太郎 Kotaro Kunimoto
漆器くにもと代表 artisan933(株)取締役
高岡クラフト市場街実行委員長
ものづくりとアウトドアで
楽しく「暮らす」「働く」 in トヤマ

熊谷 太郎 Taro Kumagai
La Jomon
蔵を跨いだブレンド酒を今年もやります。

黒江 美穂 Miho Kuroe
D&DEPARTMENT ディレクター
北陸の人、風景、食、モノづくりも
みんな大好きです。

高坂 道人 Michihito kousaka
躅飛山光徳寺 20代住職
南砺の土徳を感じに来て下さい。
お待ちしております。

古賀 義孝 Yoshitaka Koga
光画デザイン
デザインで、世の中を明るくできると
信じています。

小菅 庸喜 Nobuyuki Kosuge
archipelago 店主
大好きな高岡の瑞龍寺。
左右対象に広がる美しい伽藍。

五本 ゆかり Yukari Gohon
D&DEPARTMENT TOYAMA
心とお腹を満たしてくれる富山へ、ぜひ。

小柳 聡美 Satomi Koyanagi
READYFOR キュレーター
クラウドファンディングで
ご縁が続きますように

境 嘉代子 Kayoko Sakai
女将 農家レストラン大門(株)
伝承料理を次の世代へつなごう！！
教室をしています。

坂田 実緒子 Mioko Sakata
地域観光ディレクター
海とカツオは日本一！
もう一つのわたしの故郷です。

坂本 大三郎 Daizaburo Sakamoto
山伏
先日、富山でお茶碗買いました。

坂本 大祐 Daisuke Sakamoto
オフィスキャンプ
奈良県東吉野村で
コワーキングスペースを運営中。

崎山 智華 Tomaka Sakiyama
D&DEPARTMENT KAGOSHIMA by MARUYA
思い出の地、富山。
今度は2冊抱えてぐるぐるしたい。

佐藤 ちか子 Chikako Sato
Ceramic art accessory 千花
宮崎の神話や自然をテーマに
制作活動をしています。

島川 晋 Susumu Shimakawa
株式会社島川 代表取締役
麦芽の力、おいしい麦芽飴を造ります。

清水 美穂 Miho Shimizu
D&DEPARTMENT TOYAMA
うんまいもん食べに、遊びにこられ～

SUPPORTERS of CROWD FUNDING

「富山号2」の制作費の一部は、クラウドファンディングにて募集しました。ご支援いただいた皆さん、ありがとうございました。

黒部峡谷　宇奈月温泉

DESIGN CLIPS
Graphic & Web Design / PR Concierge

森光男／どーも／岡部淳也／大山曜／芝生かおり／けんたろう／ Samba2001 ／有賀家／まつだよういち／ Hitomi Deguchi ／ CHILLING STYLE おおさわ
今日も山崎家／山崎義樹／湯浅良介／ hiroya chida ／上澤聖子／なないろファクトリー 平島健一／安田裕樹／笠原美緑／蒼黒／崎山智華
白川郷山本屋 山本愛子／ rica ／國松勇斗・素子／菊田麻矢／吉田英文／つむぎや埼玉粉問屋／タダカツ／まるる／土肥彩香／長本紀子／若杉賢一
うっち／村上理沙／ Mayumi Isoyama ／門脇万莉奈／武智伸也／小山千春／八重田和志／ yukamama ／田中美弥／りな／野口朋寿／ 47 ネイル
HOUSEHOLD 笹倉慎也／山口祐貴子／ KAZUMI.O ／いとうあいこ／武井 靖 @なんなん／里山マウンテンバイクツーリズム実行委員会 代表 佐藤将貴
窪田千莉／小林信治／海老ヶ瀬順子／西山薫／国井 純（ひたちなか市役所）／イノマタナオ／武内孝憲／彩／飛騨ゼロウェイストプロジェクト
はぎうだみや／あん／石黒剛／吉田治代／ ATELIER table ／佐藤里絵／前田昌宏／丸山昌幸／ますだ家／坂本正文／ Okumura ／原田將裕
d 日本フィルの会／小林ゆきこ／ゲルト・クナッパーギャラリー／山下章子／池ちゃん／桂樹舎／ Classic Ko / KOSEI OSHITA ／高木翔平／高木夏希
友員里枝子／中村麻佑／加賀崎勝弘／堀井政彦／富山を愛する男／智里／田邊直子／ meadow_walk ／ saredo - されど - ／ヘルベチカデザイン株式会社
トリタロウ／大木菜穂子／ mamiiiiimam ／ H1R0 ／松永洋子／ Hiroyasu Ishida ／高橋希政／ Ayumi Nagata ／シンタ／森居真悟／町家ステイ吹屋「千枚」
inutaku3 ／江本珠理／小磯麻樹子／ yuk53ko ／ 350&821 ／吉田修／かおり／菅真智子／一般社団法人常願寺川公園スポーツクラブ／小瀧忍／伏木ママ
清水一史／飯野勝智（YUI PROJECT）／ regraviti ／藤原美保子／ゆぶとたお／宮崎会計事務所／田口雅教／ビィ／かすみがうら未来づくりカンパニー
TABI TABI ／ naosan ／渋谷／はなだたかこ（ミサワ総研）／満田久知／ Bed and Craft ／光德寺／中尾知尋／岸雨晴海／竹内葉子／後藤国弘／善巧寺
パンのゴルジュ／吉岡佑二／橋本恵子／ incomix ／下園正博／いっせー @ 札幌／ FUTAGAMI ／デザインモリコネクション／吉浦初音／ Marc Mailhot
高橋康平（PORTALFIELD 代表）／ DESIGN CLIPS ／ヒラキ歯科クリニック／株式会社山田写真製版所／渡辺泰夫／宇奈月温泉　延楽

D&DEPARTMENT ORIGINAL GOODS

産地の個性でオリジナルグッズを作っています。

1. d 測量野帳 / 473円　測量現場のニーズを反映した「コクヨ」の測量野帳にdのロゴを箔押し。　**2. SLIPPERS FROM LIFESTOCK** / 3,960円　尾州産のウール生地見本を再利用した一点もののスリッパ。　**3. 桂樹舎 名刺入れ d オリジナル柄** / 2,420円　和紙工房「桂樹舎」の昔の型紙を特別に使ったロゴ入り名刺入れ。　**4. d design travel ステッカー**　d design travelを象徴するシンボルがステッカーになりました。club d by D&DESIGNのネットショップにて先行発売中。club-d-by-danddesign.stores.jp　**5. d 502 Crew Neck Cardigan** / 31,900円　ウルグアイウールをホールガーメントで仕上げ、素肌で着れるくらい柔らかな肌触りのカーディガン。　**6. CORNER SHELF** / 28,600円　隙間に自分好みのコーナーを作れるシェルフ。「d design travel」がぴったり収まる奥行き。　**7. 桂樹舎 角座 d オリジナル柄** / 11,000円　厚い和紙を使用しているため、丈夫で長く使うと革のような手触りになる「桂樹舎」の角座。　**8. ランドリーハンガー 3pcs** / 1,540円　某老舗ホテルでランドリーサービスをお願いした際に、返却されるハンガーをモチーフとしたオリジナルハンガー。

お問い合わせは、店頭または www.d-department.com

OTHER ISSUES IN PRINT

11. d design travel TOYAMA

2013年発行 / ¥1,540(税込)
ISBN : 978-4-903097-11-4 C0026

d MARK REVIEW

- 下山芸術の森・アートスペース / 金岡邸 / 瑞龍寺 / 富山県水墨美術館
- セイズファーム / ますのすしミュージアム / ジビエ料理 きくち / 蕎文
- 桂樹舎 和紙文庫 / 酒商 田尻本店 / 池田屋安兵衛商店 / KAKI CABINET MAKER
- 黒部ダム 展望台 / 石坂善商店 / スターバックスコーヒー 富山環水公園店 / YKKセンターパーク
- 庄七 / リバートリート雅樂倶 / アバンダンス・ガーデン八尾 / ホテル立山
- 吉田桂介（桂樹舎）/ 桝田隆一郎（桝田酒造店）/ 貫場幸英（VEGA）/ 熊倉桂三（山田写真製版所）

主な特集

・富山県の"文化"をつくったコンクールと会社：世界ポスタートリエンナーレ トヤマと山田写真製版所
・富山県に残したい、自然の残し方：立山黒部アルペンルート
・編集部がお薦めする富山県の名物：美味しい鱒寿司

1. 北海道 HOKKAIDO
2. 鹿児島 KAGOSHIMA
3. 大阪 OSAKA
4. 長野 NAGANO
5. 静岡 SHIZUOKA
6. 栃木 TOCHIGI
7. 山梨 YAMANASHI
8. 東京 TOKYO
9. 山口 YAMAGUCHI
10. 沖縄 OKINAWA
12. 佐賀 SAGA
13. 福岡 FUKUOKA
14. 山形 YAMAGATA
15. 大分 OITA
16. 京都 KYOTO
17. 滋賀 SHIGA
18. 岐阜 GIFU
19. 愛知 AICHI
20. 奈良 NARA
21. 埼玉 SAITAMA
22. 群馬 GUNMA
23. 千葉 CHIBA
24. 岩手 IWATE
25. 高知 KOCHI
26. 香川 KAGAWA
27. 愛媛 EHIME
28. 岡山 OKAYAMA
29. 茨城 IBARAKI

HOW TO BUY

「d design travel」シリーズのご購入には、下記の方法があります。

店頭で購入

・D&DEPARTMENT 各店（店舗情報 P.179）
・お近くの書店（全国の主要書店にて取り扱い中。在庫がない場合は、書店に取り寄せをご依頼いただけます）

ネットショップで購入

・D&DEPARTMENT ネットショップ d-department.com
・Amazon amazon.co.jp
・富士山マガジンサービス（定期購読、1冊購入ともに可能） www.fujisan.co.jp

＊書店以外に、全国のインテリアショップ、ライフスタイルショップ、ミュージアムショップでもお取り扱いがあります。
＊お近くの販売店のご案内、在庫などのお問い合わせは、D&DEPARTMENT PROJECT 本部・書籍チームまでご連絡ください。（03-5752-0520 平日10:00–18:00）

編集後記

渡邉壽枝 Hisae Watanabe
d47 MUSEUM 事務局。埼玉県出身。
47 REASON TO TRAVEL IN JAPANや、細々したところをフォロー。

合唱大会で歌った「寒ブリのうた」。冬の日本海の荒々しさを彷彿とさせる曲調と、「氷見の海はブリの海」という歌詞は、小学生の私に強烈なインパクトを与え、未だにブリを見れば口ずさんでしまう。社会人になってから訪れた春の富山では、そんな氷見から雨晴海岸を車で走りながら、悠々とした穏やかな海に目を奪われた。表情豊かな記憶とともにある私の中の富山。トラベル誌初の続編で、富山の新たな景色と思い出を増やしたい。

進藤仁美 Hitomi Shindo
D&DEPARTMENT TOYAMA ショップ店長。山梨県出身。
富山に来て4年。日々店頭で、富山のロングライフデザインを伝えている。

お店というのは不思議で、私は毎日同じ場所にいるのに自然といろんな出会いがあります。作り手の方や住んでいる方からいろんな富山の魅力を教えて頂き、あちこち出かける日々。旅行に来てくださる方に、自分が見たこと、聞いたことをお話ししながら、いつかこれをまとめられたら、とずっと思っていました。それがこんなに早く叶うなんて！ご縁に感謝です。宝物の1冊になりました。富山でお待ちしています。どうぞお越しください！

発行人 / Founder
ナガオカケンメイ Kenmei Nagaoka (D&DEPARTMENT PROJECT)

編集長 / Editor-in-Chief
神藤 秀人 Hideto Shindo (D&DEPARTMENT PROJECT)

編集 / Editors
渡邉 壽枝 Hisae Watanabe (D&DEPARTMENT PROJECT)
松崎 紀子 Noriko Matsuzaki (design clips)

執筆 / Writers
高木 崇雄 Takao Takaki (Foucault)
坂本 大三郎 Daizaburo Sakamoto
相馬 夕輝 Yuki Aima (D&DEPARTMENT PROJECT)
進藤 仁美 Hitomi Shindo (D&DEPARTMENT TOYAMA)
樋口 ゆちこ Yuchiko Higuchi (Hotori-Za)
土肥 明 Akira Doi (DOBU6)
本居 淳一 Junichi Motoi (Hirasuma Shobo)
深澤 直人 Naoto Fukasawa

デザイン / Designers
加瀬 千寛 Chihiro Kase (D&DESIGN)
高橋 恵子 Keiko Takahashi (D&DESIGN)
村田 英恵 Hanae Murata (D&DESIGN)

撮影 / Photograph
山﨑 悠次 Yuji Yamazaki

イラスト / Illustrators
辻井 希文 Kifumi Tsujii
坂本 大三郎 Daizaburo Sakamoto

日本語校閲 / Copyediting
衛藤 武智 Takenori Eto

翻訳・校正 / Translation & Copyediting
来 素子 Motoko Kaku
ジョン・バイントン John Byington
真木 鳩陸 Patrick Mackey
木村 リサ Lisa Kimura
ニコル・リム Nicole Lim
松本 匡史 Masafumi Matsumoto (Ten Nine Communications, Inc.)
本多 尚諒 Naoaki Honda (Ten Nine Communications, Inc.)

制作サポート / Production Support
ユニオンマップ Union Map
進藤 仁美 Hitomi Shindo (D&DEPARTMENT TOYAMA)
中村 麻佑 Mayu Nakamura (D&DEPARTMENT PROJECT)
内藤 早紀 Saki Naito (d47 SHOKUDO)
d47 design travel store
d47 MUSEUM
d47 食堂 d47 SHOKUDO
D&DEPARTMENT HOKKAIDO by 3KG
D&DEPARTMENT SAITAMA by PUBLIC DINER
D&DEPARTMENT TOKYO
D&DEPARTMENT TOYAMA
D&DEPARTMENT KYOTO
D&DEPARTMENT MIE by VISON
D&DEPARTMENT KAGOSHIMA by MARUYA
D&DEPARTMENT OKINAWA by PLAZA 3
D&DEPARTMENT SEOUL by MILLIMETER MILLIGRAM
D&DEPARTMENT JEJU by ARARIO
D&DEPARTMENT HUANGSHAN by Bishan Crafts Cooperatives
Drawing and Manual

広報 / Public Relations
松添 みつこ Mitsuko Matsuzoe (D&DEPARTMENT PROJECT)
清水 睦 Mutsumi Shimizu (D&DEPARTMENT PROJECT)

販売営業 / Publication Sales
田邊 直子 Naoko Tanabe (D&DEPARTMENT PROJECT)
西川 恵美 Megumi Nishikawa (D&DEPARTMENT PROJECT)

表紙協力 / Cover Cooperation
棟方 良 Ryo Munakata
雪梁舎美術館 Setsuryosha Museum of Art

協力 / Cooperation
READYFOR株式会社 READYFOR INC.

表紙にひとこと

『祭巴の柵』 棟方志功（1903年−1975年）
民藝の根づく地域性からも見られるように、感謝し合う人々の心がデザインの力となり、富山県は独自の文化を育んでいました。福光に疎開していた間、「他力の国に留学した」という、棟方志功が感じたものとは、間違いなく、今でも富山県の「らしさ」なのでしょう。この絵は、彼が富山滞在中に制作した『鐘溪頌』24作品のうちの一つ。棟方自身も芸術の方向性を示されたように、この"国"には、きっと、見えない力が宿っています。

One Note on the Cover

Saiha no Saku **(Festive Eddy Pattern),**
Shiko Munakata (1903–1975)
Toyama's design, and its culture, are nurtured by the mutual gratitude in its people's hearts. This unique local character is surely what Shiko Munakata felt when he said that his time as an evacuee in Fukumitsu was like studying in a foreign country. This is one of 24 panels from in praise of Kanjiro Kawai's kiln "*Shokei*", he created during his stay in Toyama. As he himself learned, there surely is power hidden in this land.

---

d design travel TOYAMA 2
2021年12月3日 初版 第1刷
First printing: December 3, 2021

発行元 / Publisher
D&DEPARTMENT PROJECT
158-0083 東京都世田谷区奥沢8-3-2
Okusawa 8-chome 3-2, Setagaya, Tokyo 158-0083
03-5752-0097
www.d-department.com

印刷 / Printing
株式会社サンエムカラー SunM Color Co., Ltd.

ISBN 978-4-903097-83-1 C0026

Printed in Japan

掲載情報は、2021年9月時点のものとなりますが、
定休日・営業時間・詳細・価格など、変更となる場合があります。
ご利用の際は、事前にご確認ください。
掲載の価格は、特に記載のない限り、すべて税込みです。
定休日は、年末年始・GW・お盆休みなどを省略している場合があります。
The information provided herein is accurate as of September 2021. Readers are advised to check in advance for any changes in closing days, business hours, prices, and other details.
All prices shown, unless otherwise stated, include tax.
Closing days listed do not include national holidays such as new year's, obon, and the Golden Week.

全国の、お薦めのデザイントラベル情報、本誌の広告や、
「47都道府県応援バナー広告」（P. 154〜177のページ下に掲載）
についてのお問い合わせは、下記、編集部まで、お願いします。

宛て先
〒158-0083 東京都世田谷区奥沢8-3-2
D&DEPARTMENT PROJECT
「d design travel」編集部宛て
d-travel@d-department.jp

携帯電話からも、D&DEPARTMENTの
ウェブサイトを、ご覧いただけます。
http://www.d-department.com